German V

CW00392967

By A. RUSSON and L. J. RUSSON

A First German Reader

A Second German Reader

Simpler German Course for First Examinations

Advanced German Course Revised Edition

Language Laboratory Pattern Drills for Beginners in German
(Book and Tapes)

By L. J. RUSSON

Complete German Course for First Examinations

German Vocabulary in Context

A progressive vocabulary
for conversation and free composition

A. RUSSON and L. J. RUSSON MA

LONGMAN

LONGMAN GROUP LIMITED
Longman House,
Burnt Mill, Harlow, Essex, U.K.

© *Longman Group Limited 1970*
All rights reserved. No part of this
publication may be reproduced, stored in a
retrieval system, or transmitted in any form or
by any means, electronic, mechanical,
photocopying, recording, or otherwise, without
the prior permission of the Copyright owner.

First published 1970
Seventh impression 1981

ISBN 0 582 36167 2

Printed in Hong Kong by
Yu Luen Offset Printing Factory Ltd

Contents

Foreword

A Progressive German Vocabulary in Context is designed to give a basic vocabulary of some 2,800 words arranged according to themes or topics. All but three of the sixty-five topics consist of either one or two manageable groups of words. The words are listed, with few exceptions, according to grammatical categories, and every help is given throughout to show exactly how the words behave.

This work is unlike such other vocabularies as we have seen in that it is planned deliberately as a progressive vocabulary that could be used to accompany any German course from a fairly early stage, serving in large measure as a means to consolidate work previously learnt. There is in this vocabulary, as in others, some attempt at a logical progression of ideas, but in this one the structures used in the illustrative sentences which in the earliest groups are very simple indeed become gradually somewhat more difficult and elaborate in the later groups. This vocabulary is also progressive in the sense that words once given are not listed again in subsequent groups though they may be used again, in somewhat different guises, wherever this is appropriate to the theme, in later illustrative sentences; but no words are used in the illustrative sentences that have not been previously listed.

This vocabulary is also different in that within each group there are always enough additional items listed outside the strictly thematic material to make oral practice and free composition possible within the limits of any one group.

Though other vocabularies usually give somewhat haphazardly a few examples of how words are used in context in ours we have done this consistently and on a generous scale. It must be admitted that not many of our pupils (except perhaps occasionally just before an examination and then as a sort of desperate remedy) have been prepared to tackle lists of words with any enthusiasm. The very numerous examples we have given of words 'in context' will, we hope, help students of German to assimilate vocabulary in a more natural and less irksome manner.

We have consulted other 'basic' vocabularies, in particular *Grundwortschatz Deutsch*, published by Ernst Klett Verlag, but we have not hesitated to add a few non-basic words where these make it possible to write more lively compositions on the various topics.

We gratefully acknowledge our indebtedness to Frau Helga Becker who read through our manuscript with a most critical eye and who suggested many valuable improvements.

A.R.
L.J.R.

Winchester, 1969

Abbreviations and signs used

A	accusative; governs accusative
AD	governs accusative and/ or dative
adj.	declined like an adjective
adv.	adverb
conj.	conjunction
D	dative; governs dative
etc.	etcetera
G	genitive; governs genitive
gen.	genitive
intr.	intransitive
n.	neuter
o.s.	oneself
pl.	plural
pron.	pronoun
prov.	proverb
s.b.	somebody
s.th.	something
tr.	transitive
*	conjugated with *sein*
(*)	conjugated with *sein* or *haben* according to meaning
+	plus
-	inserted between prefix and verb indicates that the verb is separable

NOTE 1 Nouns listed thus: *der Brief -e, der Vater* ⁚, etc. mean that the plurals are *die Briefe, die Väter*, etc.

NOTE 2 Nouns listed thus: *der Junge -n/-n, der Spatz -en/-en* mean that they are declined weak, i.e. they end in *-n* or *-en* in all cases except the nominative singular.

NOTE 3 Nouns without indication of plural forms are either compound nouns behaving like the root-form already given just above in the same list or are not used at all or only rarely in the plural.

NOTE 4 Strong and irregular verbs listed thus: *lesen (ie, a, e)*; *an-nehmen (nimmt, a, -genommen)*, etc. mean that the principal parts are *liest, las, gelesen*; *nimmt . . . an, nahm . . . an, angenommen*, etc.

NOTE 5 A word listed thus: *die Brief(Marke)* means that one may say either *die Briefmarke* or *die Marke*.

Cardinal numbers (i)   Hauptzahlen (i)

1

0	**null**	8	**acht**
1	**eins**	9	**neun**
2	**zwei**	10	**zehn**
3	**drei**	11	**elf**
4	**vier**	12	**zwölf**
5	**fünf**	13	**dreizehn**
6	**sechs**	14	**vierzehn**
7	**sieben**	15	**fünfzehn**

pencil	**der Bleistift -e**	read	**lesen** (ie, a, e)
Mr., gentleman	**der Herr -n/-en**	write	**schreiben** (ie, ie)
Mrs., woman	**die Frau -en**	full	**voll**
page, side	**die Seite -n**	empty	**leer**
number	**die Zahl -en**	red	**rot**
bottle	**die Flasche -n**		
		no, not a	**kein**
Miss, unmarried woman	**das Fräulein -** or **-s**	that (*pron.*)	**das**
book	**das Buch ̈er**	none (*pron.*)	**keiner**
		what	**was**
have	**haben (hat, hatte, gehabt)**	yes	**ja**
		no	**nein**
be	***sein (ist, war, gewesen)**	there	**da, dort**
		how much/ many	**wieviel**

Was ist das?—Das ist ein Bleistift/ eine Flasche/ ein Buch.
Was sind das (*those*)?—Das sind leere Flaschen.
Wieviel Bleistifte/ Flaschen/ Bücher sind da?
Es ist ein Bleistift/ eine Flasche/ ein Buch da.
Ist einer/ eine/ eins da?
Ja, es ist einer/ eine/ eins da. Nein, es sind zwei/ drei/ vier da.
Nein, es ist keiner/ keine/ keins da.
Nein, es sind keine (*pl.*) da, Herr Schmidt/ Frau Bach/ Fräulein Thomas.
Es ist ein roter Bleistift/ eine leere Flasche/ ein rotes Buch da.
Es ist kein roter Bleistift/ keine leere Flasche/ kein rotes Buch da.
Es sind rote Bleistifte/ zwei leere Flaschen/ drei rote Bücher da.
Wieviel Bleistifte/ Flaschen/ Bücher hast du?
Ich habe einen roten Bleistift/ eine leere Flasche/ ein rotes Buch.
Ich habe keinen roten Bleistift/ keine leere Flasche/ kein rotes Buch.
Ich habe einen/ eine/ eins. Ich habe keinen/ keine/ keins.
Ich habe rote Bleistifte/ zwei leere Flaschen/ drei rote Bücher.
Ich habe keine roten Bleistifte. Ich habe keine (*pl.*). (*I haven't any.*)
Seite eins/ zehn.
Wieviel Seiten hat er gelesen/ geschrieben?

Cardinal numbers (ii) Hauptzahlen (ii)

2

16	sechzehn	75	fünfundsiebzig
17	siebzehn	80	achtzig
18	achtzehn	90	neunzig
19	neunzehn	100	hundert
20	zwanzig	101	hunderteins
21	einundzwanzig	202	zweihundertzwei
30	dreißig	1,000	tausend
32	zweiunddreißig	2,001	zweitausendeins
40	vierzig	1,000,000	eine Million
50	fünfzig	2,000,000	zwei Millionen
60	sechzig	1·07	eins Komma null
70	siebzig		sieben (1,07)

inhabitant	der Einwohner -	once	einmal
town, city	die Stadt ¨e	twice	zweimal
mark	die Mark -	more	mehr
		less, minus	weniger
money	das Geld -er	not	nicht
country	das Land ¨er	not at all	gar nicht
comma	das Komma -s		
		from, of	von (D)
cost	kosten	till, to, by	bis (A)
count	zählen	through,	durch (A)
can, be able	können (kann,	divided by	
	konnte,	and, plus	und
	gekonnt)	than	als

Wieviel ist zwei und zwei?—Zwei und zwei ist vier (2+2=4).
Wieviel ist sechs weniger drei?—Sechs weniger drei ist drei (6 - 3=3).
Wieviel ist neunzig durch drei?—Neunzig durch drei ist dreißig (90:3=30).
Wieviel ist vier mal fünf?—Vier mal fünf ist zwanzig (4×5=20).
Er hat hundertvierzig/ dreihundertfünfundsechzig/ zweitausendfünfhundert
Bücher.
Er kann nicht bis drei zählen.
Zählen Sie/ Zähle/ Zählt von eins bis zehn!/ von elf bis zwanzig!
Das Land/ Die Stadt zählt 500 000 Einwohner.
Wir haben/ zählen 1970 (neunzehnhundertsiebzig). (*It's 1970.*)
Er hat sein Geld zweimal/ dreimal/ viermal gezählt.
Wieviel Einwohner hat London?/ Bonn?/ Frankfurt?/ Hamburg?
London hat/ zählt mehr als acht Millionen Einwohner.
Hamburg hat/ zählt nicht weniger als zwei Millionen Einwohner.
Was kostet das Buch/ die Flasche?—Es/ Sie kostet 6 Mark.
Was kosten die vier Bücher?—Sie kosten 30 Mark.

Weights and Measures   Gewichte und Maße

3

metre	der/das Meter -	live	**wohnen**
centimetre	der/das Zentimeter		
kilometre	der Kilometer	weigh	**wiegen** (o, o)
litre	der/das Liter -	give	**geben** (i, a, e)
half	die Hälfte -n	big, tall, great	**groß**
mile	die Meile -n	high	**hoch**
butter	die Butter	deep	**tief**
milk	die Milch	heavy, difficult	**schwer**
measure(ment)	das Maß -e	light, easy	**leicht**
weight	das Gewicht -e	old	**alt**
dozen	¹das Dutzend -e	wide	**breit**
pound	¹das Pfund -e	far, wide	**weit**
quarter of a pound	das Viertelpfund	away, distant	**entfernt**
		half	**halb**
gram(me)	¹das Gramm -e	here	**hier**
kilogram(me)	{ ¹das Kilogramm	how	**wie**
	¹das Kilo -s		
room	das Zimmer -	please	**bitte**
egg	das Ei -er		

Wie tief ist die Elbe hier?—Sie ist hier 3 m (=3 Meter) tief.
Wie hoch ist die Zugspitze?—Sie ist 2 963 m hoch.
Wie lang/ breit/ hoch ist das Zimmer?
Es ist 5 m lang/ 4 m breit/ 3 m hoch.
Wie weit ist München von Frankfurt?
München ist 405 km (=405 Kilometer) von Frankfurt entfernt.
Wir wohnen nicht weit von London entfernt.
Wie alt bist du?—Ich bin 15 Jahre alt.
Ich bin drei Jahre älter als du.
Wie schwer bist du?/ Wieviel wiegst du?—Ich wiege 35 kg (=35 Kilogramm)/
  70 Pfund.
Wie schwer ist das Buch?—Es wiegt 500 gr (=500 Gramm).
Geben Sie mir ein Viertelpfund/ ein halbes Pfund/ 500 gr (=1 Pfund)/ ein
  Kilo (=2 Pfund)/ zwei Kilo Butter, bitte.
Geben Sie mir einen halben Liter/ einen Liter/ zwei Liter/ eine Flasche/ zwei
  Flaschen Milch, bitte.
Geben Sie mir ein Dutzend/ zwei Dutzend Eier, bitte.
Geben Sie mir einen Meter/ die Hälfte davon (*of it/them*)!

¹ With numerals these nouns are not inflected.

Time (i)   Die Zeit (i)

4

moment	{ der Moment -e { der Augenblick -e	work	arbeiten
day	der Tag -e	rain	regnen
morning, forenoon	der Vormittag	come	*kommen (kam, o)
afternoon	der Nachmittag	arrive	*an-kommen
evening	der Abend -e	next; nearest	nächst
month	der Monat -e	last	letzt-, vorig-
morning	der Morgen -	good, well	gut
night	die Nacht ˜e	this	dieser
time	die Zeit -en	every, each	jeder
second	die Sekunde -n		
minute	die Minute -n	much	viel
hour	die Stunde -n	little	wenig
week	die Woche -n	very	sehr
		always	immer, stets
year	das Jahr -e		
leap year	das Schaltjahr	in, on	an (AD)
century	das Jahrhundert -e	in, into	in (AD)
		that (conj.)	daß

Guten Tag! Guten Morgen! Guten Abend! Gute Nacht!
Er arbeitet jeden Morgen/ Tag/ Nachmittag/ Abend/ jede Nacht.
Eines Tages/ Morgens/ Nachmittags/ Abends/ Nachts kam er an.
Am Tag/ Vormittag/ Abend hat es geregnet.
In der Nacht/ Im Monat April/ Im Jahre 1965/ In der vorigen Woche regnete
    es viel.
In diesem Monat/ Jahr hat es viel geregnet.
Er kommt einmal am Tag/ zweimal in der Woche/ dreimal im Monat/ viermal
    im Jahr.
Er kam am nächsten Tag/ am vorigen Nachmittag/ am vorigen Abend.
Er kommt nächste Woche/ nächsten Monat/ nächstes Jahr.
Er kam vorige (or letzte) Woche/ vorigen (or letzten) Monat/ voriges (or
    letztes) Jahr.
Ich habe immer viel/ sehr wenig Zeit.
Es ist (an der) Zeit, daß er kommt (time he came).
Er hat viel mehr/ viel weniger Zeit als du.
Einen Augenblick/ Moment, bitte!
Er wird jeden (any) Augenblick hier sein.
Er kommt immer im letzten Augenblick.
Wieviel Stunden hat der Tag?
Wieviel Tage hat die Woche/ das Jahr/ ein Schaltjahr?

Time (ii)   Die Zeit (ii)

5

while	**die Weile**	in the morning	**morgens**
time, occasion	**das Mal -e**	in the evening	**abends**
people	**die Leute** (*pl.*)	at night	**nachts**
last	**dauern**	all day	**tagsüber**
remain, stay	***bleiben** (ie, ie)	for seconds	**sekundenlang**
		for minutes	**minutenlang**
sometimes	**manchmal,**	for hours	**stundenlang**
	zuweilen	for days	**tagelang**
already	**schon, bereits**	for weeks	**wochenlang**
rarely, seldom	**selten**	for months	**monatelang**
often	**oft**	for years	**jahrelang**
hardly, scarcely	**kaum**	for centuries	**jahrhunderte-**
(un)usual(ly)	**(un)gewöhnlich**		**lang**
long	**lang(e)**	at home	**zu Hause**
still	**(immer) noch**	home	**nach Hause**
again	**wieder**	a few, one or	**ein paar**
till now	**bisher**	two	
in the morning/	**vormittags**	to	**zu** (D)
forenoon/ a.m.		ago	**vor** (D)
in the afternoon/	**nachmittags**		
p.m.		enough	**genug**

Vormittags/ abends/ tagsüber bleibt er zu Hause.
Es regnet manchmal/ zuweilen/ oft/ selten/ kaum/ immer noch.
Es hat stundenlang/ tagelang/ wochenlang/ genug geregnet.
Es hat lange/ einen Tag lang/ zwei Tage lang/ drei Monate lang gedauert.
Es hat monatelang/ jahrelang/ jahrhundertelang gedauert.
Er ist gewöhnlich/ oft/ selten/ immer/ immer noch zu Hause/ hier/ dort.
Es hat bisher nicht/ hat wieder geregnet.
In der letzten Zeit (*recently*) ist er selten nach Hause gekommen.
Er blieb noch eine Weile (*a bit longer*)/ noch einen Tag (*another day*)/ noch ein
paar Tage (*another few days*)/ noch drei Stunden dort.
Er kam schon vor acht Tagen (*a week ago*)/ vor vierzehn Tagen (*a fortnight
ago*)/ vor einem Monat/ vor zwei Jahren.
Er ist schon eine Woche hier. (*He has been here a week already.*)
Er ist schon/ ist wieder/ ist nicht nach Hause gekommen.
Ein paar Leute waren schon gekommen.
Das ist das letzte Mal, daß er geschrieben hat.

Time (iii)   Die Zeit (iii)

6

see	sehen (ie, a, e)
do	tun (a, a)
get, become	*werden (wird, wurde, geworden)
punctual	pünktlich
fine, beautiful	schön
my	mein
today	heute
yesterday	gestern
the day before yesterday	vorgestern
last night	gestern abend
last night (late)	heute nacht
this morning	heute morgen
this evening	heute abend
tomorrow	morgen
tomorrow morning	morgen früh

the day after tomorrow	übermorgen
the other day	neulich
ever	je
never	nie
before (*adv.*)	vorher
afterwards	nachher, danach
soon	bald
soon afterwards	bald darauf
immediately	sofort, (so)gleich
now	jetzt, nun
formerly	früher
not yet	noch nicht
no longer/more	nicht mehr
just	eben, gerade
first	zuerst
then, next	dann
then, at that time	damals
different(ly)	anders
when	wann

Jetzt ist es anders.
Früher/ Damals war es anders.
Bald wird es anders sein.
Ich tue (*will do*) es morgen/ nie wieder/ sofort/ bald.
Er bleibt heute/ heute morgen/ heute nachmittag zu Hause.
Es hat heute nacht geregnet/ nicht geregnet.
Es hat heute nicht mehr geregnet.
Zuerst hat es geregnet, dann ist es wieder schön geworden.
Er kommt heute in acht Tagen/ in vierzehn Tagen (*today week/fortnight*).
Er kommt gleich/ sofort/ bald/ eben/ morgen/ übermorgen/ nie.
Er kam neulich/ danach/ bald danach/ bald darauf/ vorher schon/ gestern/ vorgestern/ gestern abend.
Er ist eben/ noch nicht/ schon/ gar nicht gekommen.
Kommt er je pünktlich?
Wann sehen wir uns (*shall we see one another*) wieder?
Wir sehen uns nachher/ morgen/ wieder/ nie wieder.
Auf Wiedersehen! (*Goodbye!*)
Ist das mein Bleistift/ meine Flasche/ mein Buch?
Hast du meinen Bleistift/ meine Flasche/ mein Buch gesehen?

6

Clocks and watches (i)   Uhren (i)

7

table	der Tisch -e	go	*gehen (ging,
bedside table	der Nachttisch		gegangen)
noon	der Mittag -e	be fast	*vor-gehen
(watch) hand	der Zeiger -	be slow	*nach-gehen
second-hand	der Sekundenzeiger	stop	*stehen-bleiben
minute-hand	der Minutenzeiger		(ie, ie)
hour-hand	der Stundenzeiger	wind up	auf-ziehen
alarm clock	der Wecker -		(zog,
(o')clock	die Uhr -en		-gezogen)
pocket-watch	die Taschenuhr	prefer	vor-ziehen
wrist-watch	die Armbanduhr		
midnight	die Mitternacht	silver	silbern
silver	das Silber	golden	golden
gold	das Gold	right	richtig
		new	neu
put, lay	legen	own	eigen
put, stand, set	stellen	modern	modern
wake (tr.)	wecken	which, who	der/die/das
lie, be	liegen (a, e)	only	nur
stand, be	stehen (stand,	where	wo
	gestanden)	where (to)	wohin
		made/out of	aus (D)
		on, to	auf (AD)

Ich habe eine goldene/ silberne Armbanduhr.
Meine Armbanduhr ist aus Gold/ Silber/ ist neu/ alt.
Sie hat zwei Armbanduhren, ich habe nur eine.
Ist das deine eigene Uhr?
Taschenuhren sind nicht mehr modern.
Ich habe die Uhr/ den Wecker nicht aufgezogen.
Die Uhr geht vor/ nach/ richtig.
Die Uhr ist stehengeblieben.
Ich habe eine Uhr, die immer vorgeht/ nachgeht/ richtig geht.
Hat deine Armbanduhr einen Sekundenzeiger?
Wieviel Uhr ist es?—Es ist eins/ ein Uhr/ zwei/ zwei Uhr/ drei/ drei Uhr.
Es ist schon Mittag/ noch nicht Mitternacht.
Er stellte den Wecker auf zwölf.
Der Wecker weckte ihn um (at) fünf Uhr.
Wohin stellte er die Flasche?—Er stellte sie (it) auf den Tisch.
Wo steht sie?—Sie steht auf dem Tisch.
Wohin legte er die Armbanduhr?—Er legte sie auf den Tisch/ Nachttisch.
Wo liegt sie? (Where is it?)—Sie liegt auf dem Tisch hier/ dort.
Das steht auf Seite 18/ auf der ersten Seite.
Ziehst du/Ziehen Sie nicht diese Armbanduhr vor?

Clocks and watches (ii) Uhren (ii)

8

point, full-stop	der Punkt -e
quarter	das Viertel -
child	das Kind -er
wake (up)	*auf-wachen
get up	*auf-stehen (stand, -ge-standen)
sleep	schlafen (ä, ie, a)
fall asleep, go to sleep	*ein-schlafen
go to bed	*schlafen-gehen (ging, -ge-gangen)
want	wollen (will, wollte, gewollt)
early	früh
late	spät
tired	müde

sleepy	schläfrig
bad(ly)	schlecht
ready	bereit
awake	wach
alone	allein
whole, quite	ganz
all, every	all
only, not until	erst
almost	beinahe, fast
past	vorbei
1½	eineinhalb, anderthalb
2½	zweieinhalb
after	nach (D)
before, in front of	vor (AD)
towards	gegen (A)
at, about, round	um (A)

Wie spät ist es? (=Wieviel Uhr ist es?)—Sieh auf *(look at)* die Uhr!
Es ist fünf/ fünfundzwanzig (Minuten) nach eins *or* fünf vor halb zwei.
Es ist Viertel nach eins *or* Viertel zwei.
Es ist halb fünf (=4.30).
Es ist Viertel vor sieben *or* dreiviertel sieben (=6.45).
Er sah auf *(looked at)* die Uhr. Es war erst/ schon fünf Minuten vor zwölf.
Um wieviel Uhr stehst du auf?—Ich stehe um halb acht auf.
Wann wollen Sie aufstehen?
Es ist schon acht Uhr vorbei/ noch ganz früh.
Ich bin sehr müde. Gute Nacht! Schlafen Sie gut!/ Schlaf gut!
Ich habe heute nacht *(last night)* schlecht geschlafen.
Ich ging gegen 10 Uhr schlafen und schlief bis halb acht.
Das Kind ist noch ganz schläfrig.
Ich bin erst gegen elf Uhr eingeschlafen/ aufgewacht.
Er kam Punkt zwölf/ pünktlich um zwölf an.
Er kam um *(at about)* Mittag/ Mitternacht an.
Er schlief eine Viertelstunde/ eine halbe Stunde/ eine Stunde/ eine ganze
  Stunde/ anderthalb Stunden/ dreieinhalb Stunden.
Er kommt alle fünf Minuten/ alle acht Tage *(every week)*/ alle vierzehn Tage
  (every fortnight)/ alle drei Monate.
Er kommt nie/ selten/ oft/ immer um *(about)* diese Zeit.
Sie standen alle um den Tisch.
Ich bin noch nicht bereit aufzustehen/ schlafenzugehen.
Er ist bereit, morgen zu kommen/ noch eine Stunde zu arbeiten/ noch einen
  Tag zu bleiben.
Er ist immer zu allem bereit *(ready for anything)*.
Er kommt nicht zu dir/ zu ihr/ zu uns/ zu euch/ zu ihnen/ zu Ihnen.
Sie ist bereit, zu ihm zu gehen.
Ich bin heute ganz allein.

Days of the week   Die Tage der Woche

9

Sunday	der Sonntag -e	on Sundays	sonntags
Monday	der Montag	on Mondays	montags
Tuesday	der Dienstag	on Tuesdays	dienstags
Wednesday	der Mittwoch -e	on Wednesdays	mittwochs
Thursday	der Donnerstag	on Thursdays	donnerstags
Friday	der Freitag	on Fridays	freitags
Saturday	{ der Sonnabend -e { der Samstag	on Saturdays	{ sonnabends { samstags
weekday	der Wochentag	on weekdays	wochentags
(bank)holiday	der Feiertag	free	frei
leave, holiday	der Urlaub -e		
holidays	die Ferien (*pl.*)	many	viele
ask (questions)	fragen	whether	ob
say, tell	sagen	either . . . or	entweder . . . oder
get, obtain	kriegen	neither . . . nor	weder . . . noch
get, obtain	bekommen (-kam, o)	one (*pron.*)	man
begin	beginnen (a, o)		

Er kommt (am) Sonntag/ (am) Montagmorgen/ (am) Dienstagabend.
Er kommt nächsten Donnerstag/ fast jeden Sonntag/ jeden Freitagmorgen.
Er kam vorigen Freitag.
Er fragt/ fragte, ob sie am Sonntag komme/ wann sie komme.
Er fragt/ fragte, ob sie nächsten Mittwoch kämen/ wann sie kämen.
Sonntags bleiben wir/ bleiben viele zu Hause.
An Sonn- und Feiertagen haben wir frei (*we have a holiday*).
Wann beginnen die Ferien?
Es beginnt/ begann schon wieder zu regnen.
Wann haben Sie Urlaub?
Er ist in/ auf Urlaub gegangen.
Wie lange Urlaub kriegen/ bekommen Sie im Sommer?
Er bekommt/ bekam einmal im Jahr vier Wochen Urlaub.
Man kann entweder Sonnabend oder Samstag sagen.
Er kann/ konnte weder Montag noch Dienstag kommen.
Was machst du in den Ferien?
Was sagst du?/ hast du gesagt?

Months and seasons
Die Monate und Jahreszeiten

English	German	English	German
January	der Januar	end	das Ende -n
February	der Februar	begin	an-fangen
March	der März		(ä, i, a)
April	der April		
May	der Mai	hot	heiß
June	der Juni	cold	kalt
July	der Juli	warm	warm
August	der August	cool	kühl
September	der September	fresh, cool	frisch
October	der Oktober	short	kurz
November	der November	as short as	so kurz wie
December	der Dezember	just as short as	ebenso kurz wie
winter	der Winter -		
summer	der Sommer -	shortest	{ der kürzeste
spring	der Frühling -e		{ am kürzesten
autumn	der Herbst -e	nobody	niemand
beginning	der Anfang ¨e	about (*adv.*)	ungefähr
season	die Jahreszeit -en	for, since	seit (D)
middle	die Mitte -n		

Im Januar ist es hier sehr kalt.
Im April ist es (nicht) so kalt/ ist es ebenso kalt wie im Februar.
Im Winter ist es hier viel kälter als in England.
Im Januar sind die Tage am kürzesten.
Im Juni sind die Tage am längsten.
Heute ist der kürzeste/ längste Tag des Jahres.
Er kommt Anfang Juli/ Mitte August/ Ende September.
Er kommt nächsten Sommer/ im Mai/ im Monat Mai/ (im) nächsten Oktober.
Er kam im vorigen Mai/ im vorigen Sommer/ jedes Jahr im März (*every March*).
Er ist schon (*has now been*) seit gestern/ Montag/ vorigem Dienstag/ Juli hier.
Seit wann ist er hier? (*How long has he been here?*)
Er ist schon seit zwei Tagen/ zwei Wochen/ zwei Monaten/ einem Jahr/ ungefähr
zehn Jahren hier. (*He has now been here (for) two days* . . .)
Niemand ist gekommen/ war hier zu sehen (*to be seen*).
Der Winter/ Frühling/ Sommer/ Herbst hat schon angefangen.

Festivals and holidays   Feste und Feiertage

11

birthday	der Geburtstag -e
Christmas Day	der Weihnachtstag
family	die Familie -n
festival	das Fest -e
present	das Geschenk -e
birthday present	das Geburtstags-geschenk
Christmas	Weihnachten (n.)
Easter	Ostern (n.)
Whitsun	Pfingsten (n.)
New Year	Neujahr (n.)
summer holidays	die Sommerferien (pl.)
Christmas holidays	die Weihnachtsferien
Easter holidays	die Osterferien
Whitsun holidays	die Pfingstferien

give (present)	schenken
wish	wünschen
congratulate on	gratulieren zu
do, make, cause	machen
celebrate	feiern
intend, have in mind	vor-haben
spend (time)	verbringen (-brachte, -bracht)
fall	*fallen (ä, ie, a)
merry	fröhlich
nice, lovely	schön
something	etwas
something nice	etwas Schönes
nothing	nichts
nothing special	nichts Besonderes
especially	besonders

Hast du heute etwas vor?—Nein, nichts Besonderes.
Ich hatte vor, morgen zu kommen.
Was wollen wir heute machen/ tun? (*What shall we do today?*)
Das macht nichts. (*It doesn't matter.*)
Wo wollen wir feiern?
Die Familie gratulierte mir heute zu meinem Geburtstag (*wished me many happy returns of the day*).
Was hast du zu deinem Geburtstag geschenkt bekommen? (*What did you get as a present?*)
Was hat er dir geschenkt/ gegeben? Etwas Schönes?—Er hat mir nichts geschenkt/ gegeben.
Wo verbringst du dieses Jahr deine Osterferien/ Sommerferien/ Herbstferien/ Weihnachtsferien?
Er kommt nächstes Jahr (zu) Weihnachten (*at Christmas*)/ Ostern/ Pfingsten.
Wann ist Ostern dieses Jahr?
Ich wünsche Ihnen fröhliche Ostern/ fröhliche Weihnachten/ alles Gute (*all the best*) zum neuen Jahr.
Man muß die Feste feiern, wie sie fallen. (*One must take advantage of the/ every occasion to celebrate.*)

Date and ordinal numbers
Datum und Ordnungszahlen

1st	der/die/das erste	11th	der/die/das elfte
2nd	der/die/das zweite	20th	der/die/das zwanzigste
3rd	der/die/das dritte	21st	der/die/das einund-
4th	der/die/das vierte		zwanzigste
5th	der/die/das fünfte	32nd	der/die/das zweiund-
6th	der/die/das sechste		dreißigste
7th	der/die/das sieb(en)te	100th	der/die/das hundertste
8th	der/die/das achte	101st	der/die/das hundert-
9th	der/die/das neunte		erste
10th	der/die/das zehnte	1,000th	der/die/das tausendste
		1,000,000th	der/die/das millionste

birth	die Geburt -en	die	*sterben (i, a, o)
date	das Datum (Daten)	go (not on foot)	*fahren (ä, u, a)
return	*zurück-kehren	leave (intr.)	*ab-fahren
must	müssen (muß, mußte, gemußt)	meet (tr.)	treffen (i, traf, o)
		meet (intr.)	sich treffen
be (supposed)	sollen (soll,	be called	heißen (ie, ei)
to, ought	sollte, gesollt)	who	wer
be born	geboren *werden/*sein	back	zurück
		to (name of place)	nach (D)

Der wievielte ist heute?/ Den wievielten haben wir heute? (*What is the date today?*)
Heute ist der zwölfte März./ Heute haben wir den zwölften März.
Wann bist du geboren?—Ich bin/ wurde am siebzehnten April geboren.
Er hat am dreißigsten Juni Geburtstag.
Er ist am neunzehnten Februar gestorben.
Ich muß/ Er muß am sieb(en)ten zurück sein/ zurückkehren.
Er mußte/ Wir mußten am sechsten Juli abfahren/ nach Paris fahren.
Er soll morgen/ sollte am nächsten Tag abfahren.
Was soll (*shall*) ich tun?
Sie soll (*is supposed*) sehr schön sein.
Ich sollte (*ought*) arbeiten.
Können wir/ Wollen wir (*shall we*) uns am ersten Mai treffen?
Wie heißt der erste Monat/ der zweite Monat/ der letzte Monat des Jahres?
Wie heißt der erste Tag/ der dritte Tag/ der letzte Tag der Woche?
Wie heißt du/ er/ sie/ ihr? Wie heißen wir/ Sie/ sie? Wie heiße ich?
Wer bist du?/ seid ihr?/ sind Sie?/ ist es?
Bist du es? (*Is it you?*)/ Sind Sie es?/ Seid ihr es?/ Sind sie es?
Ja, ich bin es (*it's me*)/ wir sind es/ sie sind es.
Es ist das erste/ schon das dritte Mal, daß er kommt (*has come/been*).

The classroom (i)   Das Klassenzimmer (i)

13

chair	der Stuhl ⸚e	teach, instruct	unterrichten
place, seat	der Platz ⸚e	open	auf-machen
teacher	der Lehrer -	shut	zu-machen
pupil	der Schüler -	go and stand,	sich stellen
floor	der Fußboden ⸚	place o.s.	
instruction,	der Unterricht	hang (*intr.*)	hängen (i, a)
lessons		take	nehmen
wall	die Wand ⸚e		(nimmt, a,
door	die Tür -en		genommen)
ceiling	die Decke -n	slow(ly)	langsam
(black)board	die Tafel -n	narrow	schmal
lamp	die Lampe -n	hard-working	fleißig
class	die Klasse -n	lazy	faul
map	die (Land)Karte -n	open	offen
teacher	die Lehrerin -nen	shut	zu
pupil	die Schülerin -nen		
room	das Zimmer -	ours	uns(e)rer
classroom	das Klassenzimmer	as, since	da
window	das Fenster -	but (on the	sondern
picture	das Bild -er	contrary)	

Wie heißt der Lehrer?/ die Lehrerin?
Der Lehrer geht langsam an die Tafel/ an die Tür/ an die Wand/ ans Fenster.
Er geht zur Tafel/ zur Tür/ zum Fenster.
Er schreibt/ schrieb an die Tafel.
Er fing an, langsam zu schreiben.
Die Karte hängt an der Wand./ Die Karten hängen an den Wänden.
Die Lampen hängen von der Decke.
Er macht die Tür auf/ zu.
Die Tür ist offen/ zu.
Die Fenster waren nicht offen, sondern zu.
Diese Tafel ist sehr breit, breiter als unsre.
Das Fenster ist ganz schmal.
Dieser Schüler hier ist fleißig, der Schüler dort ist faul (*This . . . that . . .*).
Er stellte den Stuhl an den Tisch.
Der Lehrer ging nicht zur Tür, sondern stellte sich vor die Klasse.
Geh auf deinen Platz!
Die Schüler müssen an ihren Plätzen sein.
Die Bücher stehen nicht an ihrem Platz.
Da alle Fenster offen waren, war es im Zimmer sehr kalt.
Nimm jetzt den Bleistift und schreib!
Der Lehrer nahm das Bild/ die Landkarte von der Wand.
Er unterrichtet die Schüler/ gibt ihnen Unterricht im Schreiben/ im Lesen.

The classroom (ii) Das Klassenzimmer (ii)

14

object, subject	der Gegenstand ⁝e	teach	lehren
sponge	der Schwamm ⁝e	learn	lernen
ball-point pen	der Kugelschreiber -	wipe (off)	ab-wischen
fountain pen	der Füller -	use	benutzen
radiator	der Heizkörper -	show, point	zeigen (auf+A)
board-rubber,	der Wischlappen -	(at)	
duster		heat	heizen
india rubber	der Radiergummi -s	sit down	sich setzen
chalk	die Kreide -n	sit	sitzen (saß,
word	die Vokabel -n		gesessen)
ink	die Tinte -n	white	weiß
(central)	die (Zentral)	black	schwarz
heating	Heizung	such	solch
teacher's	das Pult -e	what kind of	was für
desk			
notebook	das Heft -e	between	zwischen (AD)
ruler	das Lineal -e	next to	neben (AD)
paper	das Papier -e	with	mit (D)
by heart	auswendig	but	aber
		also, too	auch

Er/ Sie lehrt die Schüler/ Schülerinnen schreiben.
Der Schüler schreibt ins Heft/ an die Tafel/ aufs Papier.
Er setzt sich auf den Stuhl/ an den Tisch.
Er wollte sich setzen, aber es war kein Stuhl mehr da.
Er legt die Bücher auf den Tisch des Schülers/ auf das Pult des Lehrers/ der
Lehrerin.
Er zeigt auf die Karte/ sieht auf die Uhr.
Er sitzt auf dem Stuhl/ am Tisch/ an seinem Platz/ auf seinem Platz.
Er steht vor der Klasse/ vor der Tür/ am Fenster/ an der Wand.
Was für Gegenstände liegen auf dem Tisch?
Die Hefte liegen auf dem Tisch/ auf dem Pult.
Erst eine Viertelstunde später ist der Lehrer zum Gegenstand zurückgekehrt.
Sie sitzen neben mir/ zwischen ihm und mir/ auf Stühlen.
Sie setzten sich neben mich/ zwischen ihn und mich/ auf Stühle.
Er schreibt mit weißer Kreide/ mit (in) schwarzer Tinte/ mit rotem Bleistift.
Er wischt die Tafel mit dem Wischlappen/ mit einem Schwamm ab.
Die Heizkörper heizen das große Klassenzimmer.
Die Schüler lernen die Vokabeln auswendig.
Viele sind sehr fleißig, aber nicht alle.
Wir haben auch solche Hefte/ Lineale/ Bücher.
Die Schüler benutzen entweder ihre Füller oder ihre Kugelschreiber.

In school (i) In der Schule (i)

15

progress	der Fortschritt -e	essay subject	das Thema (Themen)
sentence	der Satz ⸚e	grammar	das Gymnasi-um -en
essay	der Aufsatz	school	
mistake	der Fehler -	visit, attend	besuchen
school	die Schule -n	(school)	
primary school	die Grundschule	stop, finish	auf-hören
		solve	lösen
intermediate school	die Mittelschule	answer	{ antworten auf (A)
			{ beantworten
comprehensive school	die Gesamtschule	prepare	(sich) vor-bereiten
lesson	die Stunde -n	(o.s.)	
question	die Frage -n	pass (exam)	bestehen (-stand, -standen)
answer	die Antwort -en	understand	verstehen
rule	die Regel -n	fail (exam)	*durch-fallen
exception	die Ausnahme -n		(ä, ie, a)
test, exam	die Prüfung -en		
mark	die Note -n	stupid	dumm
practice, exercise	die Übung -en	clever	klug
		further	weiter
work	die Arbeit -en	over; on, about	über (A/D)
exercise	die Aufgabe -n		
homework	{ die Hausarbeiten	for	für (A)
	{ die (Haus)Aufgaben	without	ohne (A)
problem	das Problem -e	although	obgleich
exam	das Examen -		

Wir besuchen die Schule.
Wir gehen jeden Tag zur Schule.
In der Schule haben wir sieben Stunden am Tag.
Wir machen viele Fehler/ gute Fortschritte (*good progress*)/ große
    Fortschritte/ langsame Fortschritte.
Der Lehrer stellt uns Fragen/ weitere Fragen/ Aufgaben.
Wir beantworten die Fragen/ antworten auf die Fragen.
Wir haben einen Aufsatz über dieses Thema geschrieben/ schreiben müssen.
Die Lampe hängt über dem Tisch.
Ich habe eine gute Note, eine Eins/ eine sehr schlechte Note, eine Fünf,
    bekommen.
Ich habe/ Er hat mich für die Prüfung/ das Examen vorbereitet.
Alle ohne Ausnahme haben die Prüfung/ das Examen gut bestanden.
Ich bin im Examen durchgefallen.
Er hört nie auf, dumme Fragen zu stellen (*never stops asking*).
Die Schule beginnt um 8 Uhr und hört um eins auf.
Obgleich dieser Schüler fleißig arbeitet, kommt er nicht weiter (*he doesn't
    come on*)/ macht er keine Fortschritte/ versteht er nur wenig.
Keine Regel ohne Ausnahme (*prov.*).
Wir müssen zuerst unsere Hausarbeiten/ Hausaufgaben/ Aufgaben machen.

In school (ii) In der Schule (ii)

16

mind	der Geist -er	develop	entwickeln
headmaster	der Direktor -en	expect	erwarten
imposition	die Strafarbeit -en	hold, stop; keep	halten (ä, ie, a)
development	die Entwicklung -en	speak	sprechen (i, a, o)
speech	die Rede -n	compel, force	zwingen (a, u)
job, function	die Aufgabe -n	be kept in	nach-sitzen
capacity,	die Fähigkeit -en		müssen
ability		there is/ are	es gibt
voice	die Stimme -n	severe, stern	streng
headmistress	die Direktorin -nen	(un)interesting	(un)interessant
get excited	sich auf-regen	(un)clear	(un)deutlich
be ashamed	sich schämen	calm, quiet	ruhig
demand	verlangen	loud(ly)	laut
notice	merken	soft(ly)	leise
try	versuchen	intellectual	geistig
encourage	ermuntern	(in)capable,	(un)fähig
explain ⎱ declare ⎰	erklären	(un)able difficult	schwierig

Der Direktor/ Die Direktorin muß von Zeit zu Zeit eine Rede halten (*make a speech*).

Er soll zum Direktor kommen. (*The headmaster wants to see him!*)

Du solltest dich schämen/ Ihr solltet euch schämen/ Sie sollten sich schämen. (*You ought to be ashamed.*)

Er sagte, daß wir uns schämen sollten/ daß wir fleißiger arbeiten sollten/ daß wir nicht so faul sein sollten/ daß wir fleißiger hätten sein sollen (*ought to have been*).

Der Lehrer erwartet von uns,/ verlangt, daß wir immer fleißig arbeiten.

Er zwingt uns,/ zwingt uns nie, fleißig zu arbeiten.

Viele Lehrer versuchen, die geistigen Fähigkeiten der Schüler zu entwickeln.

Er ist kein großer Geist (*not a great mind*).

Er hat die Fähigkeit, seine Schüler für alles zu interessieren.

Er ist unfähig zu arbeiten/ zur Arbeit.

Es gibt Lehrer, die sehr streng mit ihren Schülern sind/ die alles deutlich erklären/ die nichts merken/ die undeutlich sprechen.

Unser Lehrer regt sich leicht auf/ bleibt immer ruhig.

Er spricht immer sehr laut/ leise.

Er sprach mit lauter/ leiser Stimme (*in a loud/ soft voice*).

Da er nichts gelernt hatte, bekam er eine Strafarbeit und mußte nachsitzen.

Wir haben eine schwierige Aufgabe/ Arbeit bekommen.

Es ist die Aufgabe des Lehrers, die Schüler für das Examen vorzubereiten/ zur Arbeit zu ermuntern.

School subjects Schulfächer

17

teacher of German	der Deutschlehrer -
knowledge	die Kenntnis -se
row, turn	die Reihe -n
point, top	die Spitze -n
difficulty	die Schwierigkeit -en
history, story	die Geschichte -n
language	die Sprache -n
science	die Naturwissenschaft -en
religion, scripture	die Religion -en
mathematics	die Mathematik
physics	die Physik
chemistry	die Chemie
biology	die Biologie
geography	{ die Geographie / die Erdkunde
(school) subject	das (Schul)Fach ¨er
language laboratory	das Sprachlabor -s
German	das Deutsch
French	das Französisch
English	das Englisch
Latin	das Latein
drawing	das Zeichnen
physical training	das Turnen
translate	übersetzen
interest in (in)	interessieren (für)
be interested in	sich interessieren für
teach	bei-bringen (brachte, -gebracht)
find	finden (a, u)
do, go in for	treiben (ie, ie)
forget	vergessen (i, a, e)
keep, remember	behalten (ä, ie, a)
foreign, strange	fremd, Fremd-
which	welcher
one another	(-)einander
willingly	gern
if, when	wenn

Was für Fächer unterrichtet er?
Er unterrichtet Deutsch/ Englisch/ Französisch.
Er unterrichtet uns in Deutsch/ in Französisch/ in Geschichte.
Er gibt Deutschunterricht/ Unterricht in Fremdsprachen.
Er bringt mir Deutsch/ Physik/ Mathematik bei.
Wir treiben gern Deutsch (like doing)/ lernen gern auswendig/ übersetzen gern aus dem Deutschen ins Englische.
Der Deutschlehrer kann sehr gut Deutsch/ kann nur wenig Französisch/ spricht nur deutsch.
Er kann kein Englisch/ noch kein Englisch/ schon viele Sprachen.
Hier wird nur deutsch/ französisch/ englisch gesprochen.
Chemie interessiert mich nur wenig.
Es fällt ihm nicht schwer (he doesn't find it hard), uns für Geschichte/ Biologie/ Sprachen zu interessieren.
Ich interessiere mich nicht sehr für Mathematik.
Welches Fach ziehst du vor, Deutsch oder Englisch?
Er hat gute Kenntnisse im Englischen/ im Deutschen/ im Französischen/ in Geschichte.
Deutsch/ Mathematik macht ihm große/ keine Schwierigkeiten (gives him much/ no trouble).
Wir haben uns/ einander gern (like one another)/ sprechen miteinander/ sitzen nebeneinander.
Du mußt fleißiger arbeiten, wenn du das Examen bestehen willst.
Er sitzt in der letzten Reihe.
Ich bin jetzt an der Reihe. (Now it's my turn.)
Wir wurden der Reihe nach (in turn) gefragt.
In Mathematik steht er an der Spitze unserer Klasse.
Die Schüler finden Latein sehr schwer/ Englisch sehr interessant/ Deutsch ganz leicht.

The family (i)   Die Familie (i)

18

son	der Sohn ∵e	girl	das Mädchen -
grandson	der Enkel -	member	das Mitglied -er
father	der Vater ∵	behaviour	das Benehmen
grandfather	der Großvater	life	das Leben
great-grand-father	der Urgroßvater	punish	bestrafen
brother	der Bruder ∵	marry	heiraten
husband, man	der Mann ∵er	love, like	lieben
boy	der Junge -n/-n	reward	belohnen
		kiss	küssen
mother	die Mutter ∵	live	leben
grandmother	die Großmutter	take care of,	sorgen für
great-grand-mother	die Urgroßmutter	see to	
daughter	die Tochter ∵	behave	sich benehmen
wife	die Frau -en		(-nimmt,
sister	die Schwester -n		-nahm,
person	die Person -en		-nommen)
granddaughter	die Enkelin -nen	consist of	bestehen aus
wedding	die Hochzeit -en		(-stand,
marriage, match	die Heirat -en		-standen)
		bring up	erziehen (-zog,
marriage	die Ehe -n		-zogen)
punishment	die Strafe -n	(un)married	(un)verheiratet

Unser Großvater hat zehn Enkel/ Kinder.
Seine Frau ist fünf Jahre älter als er.
Aus wieviel Personen/ Mitgliedern besteht die Familie?—Aus sechs Personen/
   Mitgliedern.
Wie alt ist dein Vater/ deine Mutter/ dein Bruder?
Mein Vater hat meine Mutter im Juli 1949 geheiratet.
Mein Bruder ist noch nicht verheiratet/ ist unverheiratet.
Die Großmutter liebt ihre Kinder sehr/ liebt es, früh aufzustehen.
Das Kind/ Der Junge wurde für sein gutes Benehmen belohnt/ für sein schlechtes
   Benehmen bestraft.
Strafe muß sein!
Die Mutter hat ihre Kinder sehr gut/ sehr schlecht erzogen.
Der Vater/ Die Mutter sorgt für die Familie/ für die Kinder/ dafür, daß die
   Kinder ihre Hausaufgaben machen.
Sein ganzes Leben lang blieb er unverheiratet.
Mein Urgroßvater lebt noch.
Wo wurde die Hochzeit gefeiert?
Sie hat einen Sohn aus erster Ehe.
Er hat eine gute Heirat gemacht.

The family (ii) Die Familie (ii)

19

bridegroom	der Bräutigam -e	bride	die Braut ⸚e
stepson	der Stiefsohn ⸚e	stepdaughter	die Stieftochter ⸚
son-in-law	der Schwiegersohn	daughter-in-law	die Schwiegertochter
stepfather	der Stiefvater ⸚	stepmother	die Stiefmutter ⸚
father-in-law	der Schwiegervater	mother-in-law	die Schwiegermutter
brother-in-law	der Schwager ⸚	sister-in-law	die Schwägerin -nen
widower	der Witwer -	widow	die Witwe -n
uncle	der Onkel -	aunt	die Tante -n
cousin	der Vetter -n	cousin	die Kusine -n
nephew	der Neffe -n/-n	niece	die Nichte -n
fiancé	der Verlobte (adj.)	fiancée	die Verlobte (adj.)
relative	der Verwandte (adj.)	relative	die Verwandte (adj.)
parents	die Eltern	brothers and sisters	die Geschwister
grandparents	die Großeltern	grandchildren	die Enkelkinder
get engaged to	sich verloben mit	related to	verwandt mit
obey	gehorchen (D)	none at all	gar kein
		opposite	gegenüber (D)

Er ist mit mir verwandt (*related to me*). Wir sind verwandt.
Er ist ein Verwandter von mir (*of mine*). Sie ist eine Verwandte von uns.
Wir haben viele Verwandte/ gar keine Verwandten mehr.
Meine Schwester hat sich mit ihm verlobt. Sie ist seine Verlobte.
Mein Onkel ist Witwer. Seine Mutter ist Witwe.
Wieviel Geschwister hast du?
Kinder sollen ihren Eltern gehorchen.
Seine Eltern wohnen ihm gegenüber.

The house (i) Das Haus (i)

20

stone	der Stein -e	fire	das Feuer -
brick	der Backstein	house	das Haus ¨er
chimney	der Schornstein	roof	das Dach ¨er
fireplace	der Kamin -e	ground floor	das Erdgeschoß
part	der Teil -e		
advantage	der Vorteil	ring	klingeln
disadvantage	der Nachteil	knock	klopfen
state,	der Zustand ¨e	build	bauen
condition		buy	kaufen
tile	der Ziegel -	sell	verkaufen
slate	der Schiefer -	rent	mieten
key	der Schlüssel -	let, hire	vermieten
garden	der Garten ¨	light	an-zünden
shutter	der Fensterladen ¨	smoke	rauchen
storey	der Stock -werke	leave	verlassen (ä, ie, a)
smoke	der Rauch	rise, climb	*steigen (ie, ie)
garage	die Garage -n	one-storeyed	einstöckig
flat, dwelling	die Wohnung -en	two-storeyed	zweistöckig
		surrounded by	umgeben von
wall	die Mauer -n	(un)pleasant	(un)angenehm
windowpane	die Scheibe -n		

Wir haben ein eigenes Haus (*a house of our own*)/ einen Garten am (*by the*) Haus.
Wir sind/ bleiben zu Hause.
Wir gehen/ kommen nach Hause.
Wir haben ein einstöckiges/ zweistöckiges Haus gebaut/ gekauft/ gemietet.
Wir wohnen im Erdgeschoß/ im ersten Stock/ im zweiten Stock.
Das Haus ist von einem schönen Garten umgeben.
Das Dach ist aus Ziegeln/ aus Schiefer.
Das Haus ist aus Backstein.
Der Schornstein/ Ofen raucht.
Es raucht in der Wohnung.
Rauch steigt aus dem Schornstein.
Das Zimmer war voll Rauch.
Das Feuer muß angezündet werden.
Der Großvater sitzt immer am Kamin.
Im Kamin war kein Feuer.
Wenn wir klingeln/ an die Tür klopfen, macht man uns die Tür auf.
Einstöckige Häuser haben ihre Vor- and Nachteile (=Vorteile und Nachteile).
Das Haus ist zu verkaufen (*for sale*)/ zu vermieten (*to let*).
Hast du den Schlüssel/ den Hausschlüssel?
Wann verläßt du morgens das Haus?
Das Haus, das wir eben gekauft haben, ist in sehr schlechtem/ gutem Zustand.
Im Garten haben wir/ gibt es viele Steine.
Es ist angenehm, im Garten zu sitzen.

The house (ii)   Das Haus (ii)

21

corridor	der Korridor -e	open	(sich) öffnen
hall	der Flur -e	shut	(sich) schließen (o, o)
lift	der Fahrstuhl ⸚e	lock	zu-schließen
cellar	der Keller -	wash	(sich) waschen (ä, u, a)
stove	der Ofen ⸚	eat	essen (i, a,
oven	der Backofen		gegessen)
kitchen	die Küche -n	electric	elektrisch
pipe	die Pfeife -n	low	niedrig
staircase	die Treppe -n	small	klein
step, stair	die Stufe -n		
corner	die Ecke -n	up	hinauf/ herauf
coal	die Kohle -n	down	hinunter/ herunter
oil	das Öl -e	upstairs	(nach) oben
gas	das Gas -e	downstairs	(nach) unten
livingroom	das Wohnzimmer -	like	wie
diningroom	das Eßzimmer		
bedroom	das Schlafzimmer		
bathroom	das Badezimmer		
study	das Arbeitszimmer		

Die Wohnung besteht aus sechs großen hohen Zimmern.
Das Wohnzimmer geht nach dem Garten (*looks out onto the garden*).
Die Schlafzimmer sind oben im ersten Stock.
Das Arbeitszimmer des Vaters ist unten im Erdgeschoß.
Wir gehen die Treppe hinauf/ hinunter.
Wir gehen nach oben/ nach unten.
Er kommt die Treppe herauf/ herunter.
Er kommt nach oben/ nach unten.
Wir sind mit dem Fahrstuhl heraufgefahren (*came up by the lift*)/ hinaufgefahren
   (*went up*).
Der Vater liest und schreibt/ raucht seine Pfeife in seinem Arbeitszimmer.
Wir waschen uns im Badezimmer.
Die Mutter geht in die Küche/ arbeitet in der Küche.
Die Zimmer werden mit Gas/ mit Öl/ mit Kohle/ elektrisch geheizt.
Der Ofen heizt gut/ ist noch kalt/ ist schon warm.
Dieses Zimmer ist warm/ heiß wie ein Backofen.
Ich kann die Tür nicht öffnen/ nicht schließen/ nicht zuschließen.
Die Tür öffnete sich/ schloß sich.

Furniture   Möbel

22

carpet	der Teppich -e
armchair	der Lehnstuhl ∵e
cupboard	der Schrank ∵e
wardrobe	der Kleiderschrank
curtain	der Vorhang ∵e
easy chair	der Sessel -
mirror	der Spiegel -
vacuum cleaner	der Staubsauger -
dust	der Staub
standard lamp	die Stehlampe -n
(lace) curtain	die Gardine -n
chest of drawers	die Kommode -n
drawer	die Schublade -n
wallpaper	die Tapete -n
fashion	die Mode -n
everywhere	überall

book-case	das Bücherregal -e
cushion, pillow	das Kissen -
furniture	das Möbel -
bed	das Bett -en
cover	bedecken
match, go with	passen zu
judge by	beurteilen nach
fetch	holen
thick, fat	dick
thin	dünn
old-fashioned	altmodisch
(un)comfortable	(un)bequem
valuable	wertvoll
round	rund
dusty	staubig
right (-hand)	recht -
left (-hand)	link -

Der Schrank steht in der rechten/ linken Ecke des Wohnzimmers.
Die Mutter sitzt in einem bequemen Sessel.
In diesem Sessel wirst du bequemer sitzen (*You'll be more comfortable in . . .*).
Der Fußboden ist mit einem schönen dicken Teppich bedeckt.
Eine schöne Tapete hängt/ Wertvolle Bilder hängen an den Wänden.
Wann gehst du zu Bett?
Wer macht die Betten?
Es ist schwer zu beurteilen, ob die Kissen zu den Vorhängen passen werden.
Staub ist überall, hol den Staubsauger!
Schließ den Schrank!
Solche Möbel/ Solche runden Tische sind jetzt sehr Mode.

The body Der Körper

23

arm	der Arm -e	shoulder	die Schulter -n
toe	der Zeh -en	kneecap	die Kniescheibe -n
foot	der Fuß ⸚e	calf	die Wade -n
belly	der Bauch ⸚e	hip	die Hüfte -n
body	der Körper -	leg	das Bein -e
bone	der Knochen -	wrist	das Handgelenk -e
back	der Rücken -	knee	das Knie -
elbow	der Ellbogen -	limb	das Glied -er
finger	der Finger -	flesh	das Fleisch
thumb	der Daumen -	blood	das Blut
ankle	der Fußknöchel -		
thigh	der Schenkel -	hurt	verletzen
stomach	der Magen ⸚	tremble	zittern
(finger)nail	der (Finger)Nagel ⸚	sprain	verstauchen
hand	die Hand ⸚e	break	(*)brechen (i, a, o)
fist	die Faust ⸚e	grow	*wachsen (ä, u, a)
skin	die Haut ⸚e	ache, hurt	weh tun (a, a)

Er zittert am ganzen Körper/ an allen Gliedern.
Ich habe mir den Arm/ das Bein gebrochen/ verletzt/ verstaucht.
Wo tut est dir weh?
Es tut mir am Finger/ am Rücken weh.
Der Rücken/ Das Bein/ Der Bauch tut mir weh.
Sie hat dicke Waden/ Arme/ Beine.
In der letzten Zeit ist er sehr gewachsen.
Das liegt ihm im Blut. (*It is in his blood.*)

23

Head and face   Kopf und Gesicht

24

head	der Kopf ⁻̈e	chin	das Kinn -e
neck	der Hals ⁻̈e	hair	das Haar -e
beard	der Bart ⁻̈e	face	das Gesicht -er
moustache	der Schnurrbart	eye	das Auge -n
tooth	der Zahn ⁻̈e	ear	das Ohr -en
nape	der Nacken -	shake	schütteln
mouth	der Mund ⁻̈er	nod	nicken mit
breath	der Atem	breathe	atmen
nose	die Nase -n	chew	kauen
lip	die Lippe -n	hear	hören
upper lip	die Oberlippe	bite	beißen (i, i)
lower lip	die Unterlippe	smell (of)	riechen (o, o)
tongue	die Zunge -n		(nach)
forehead	die Stirn -en	look	aus-sehen (ie, a, e)
temple	die Schläfe -n		
cheek	{ die Backe -n / die Wange -n	young	jung
		(un)healthy	(un)gesund
		pale	blaß

Er nickt mit dem Kopf/ schüttelt den Kopf.
Er gibt/ schüttelt mir die Hand (*shakes hands with me*).
Sie sah sehr gesund/ ungesund/ blaß/ müde/ gut (*well, goodlooking*)/ noch jung/
  viel älter aus.
Sie hat eine hohe Stirn, einen kleinen Mund und große Augen.
Wir sehen mit den Augen/ hören mit den Ohren/ riechen mit der Nase/
  beißen mit den Zähnen und atmen durch die Nase.
Er biß sich auf die Lippe (*bit his lip*)/ auf die Zunge.
Er kaut an den (*bites his*) Nägeln.
Er kaut (*bites*) die Nägel/ Finger/ Lippen.
Mir tut der Kopf/ ein Zahn/ der Hals weh.
Ich konnte kaum Atem holen (*draw breath*).
Sie müssen seine Mutter sofort holen.

Physical appearance   Das Aussehen

25

strength	die Kraft ⸚e	slender	schlank
colour, paint	die Farbe -n	false, wrong	falsch
complexion	die Gesichtsfarbe	dumb	stumm
figure	die Figur -en	deaf in	taub auf (D)
build, figure	die Gestalt -en	blind in	blind auf (D)
carriage, attitude	die Haltung -en	lame	lahm
line	die Linie -n	pretty	hübsch
wrinkle	die Falte -n	ugly	häßlich
beauty	die Schönheit -en	robust	kräftig
spectacles	die Brille -n	weak	schwach
		strong	stark
appearance	{ das Aussehen { das Äußere (*adj.*)	delicate, tender	zart
		perfect	vollkommen
wrinkle	runzeln	fair	blond
wear, carry	tragen (ä, u, a)	dark	dunkel
		bare, naked	nackt
as if/ though	als ob	oval	oval
with, at, in	bei (D)	short-sighted	kurzsichtig
		long-sighted	weitsichtig

Er ist auf einem Auge/ auf dem linken Auge blind.
Er ist auf einem Ohr/ auf dem rechten Ohr taub.
Da er kurzsichtig/ weitsichtig ist, muß er eine Brille tragen.
Obgleich sie nicht mehr jung ist, hat sie noch keine Falten im Gesicht.
Er ist ein junger Mann von gutem Aussehen/ von angenehmem Äußeren.
Seinem Aussehen nach (*to judge by his appearance*) ist er nicht mehr als vierzig.
Wenn man ihm eine Frage stellt, runzelt er die Stirn (*he frowns*).
Sie hat eine gute/ schlechte/ schlanke Figur/ eine schlanke Linie.
Sie ist von kleiner/ schlanker/ kräftiger Gestalt.
Er hat keine Kraft mehr im linken Arm/ im rechten Arm.
Er war am Ende seiner Kräfte.
Sie ist noch gut bei Kräften. (*She still has all her strength.*)
Er hat falsche Zähne/ einen kahlen Kopf/ nackte Arme.
Er hat eine gute/ schlechte Haltung (*carriage*).
Sie ist eine vollkommene Schönheit.
Sie hat ein schönes ovales Gesicht und eine sehr zarte Haut.
Sie sieht aus, als ob ihr kalt/ zu warm ist.
Das Mädchen hat blonde/ dunkle/ schwarze Haare.
Der Junge hat eine gesunde/ blasse Farbe/ Gesichtsfarbe/ Hautfarbe.

Illnesses Krankheiten

26

doctor	der Arzt ⁚e	send (for)	schicken (nach)
dentist	der Zahnarzt	examine	untersuchen
cold (in	der Schnupfen -	catch cold	sich erkälten
head)		feel	(sich) fühlen
cough	der Husten -	recover	sich erholen
pain, ache	der Schmerz -en	cough	husten
patient	{ der Patient -en/-en	operate on	operieren
	{ der Kranke (adj.)	nurse, look	pflegen
nurse	die Kranken-	after	
	schwester -n	beat, strike	schlagen (ä, u, a)
illness	die Krankheit -en	prescribe	verschreiben
health	die Gesundheit -en		(ie, ie)
influenza	die Grippe -n	measure	messen (i, a, e)
cold	die Erkältung -en	suffer (from)	leiden (litt,
thing,	die Sache -n		gelitten) (an+D)
matter		ill	krank
temperature	die Temperatur -en	dangerous	gefährlich
medicine	{ die Arznei -en	bad, serious	schlimm
	{ die Medizin -en		
doctor	die Ärztin -nen		

Viele Leute haben eine schlimme Erkältung/ einen Schnupfen (*cold in the head*)/ haben die Grippe/ haben Husten.
Der Junge hat Fieber/ (keine) Temperatur/ Halsschmerzen/ Kopfschmerzen.
Die Mutter schickt nach dem Arzt/ holt den Arzt.
Der Arzt untersucht den Kranken/ den Patienten.
Er mißt seine Temperatur.
Seine Frau leidet an einer schlimmen/ schweren (*serious*) Krankheit.
Die Krankheit ist nicht sehr gefährlich/ schlimm.
Der Arzt verschreibt dem Patienten Medizin.
Er wird bald wieder gesund werden/ wird sich bald wieder erholen.
Wenn man krank ist, muß man im Bett bleiben.
Du wirst acht Tage im Bett bleiben müssen.
Er hat acht Tage im Bett bleiben müssen.
Das Kind mußte operiert/ lange gepflegt werden.
Ich fühle alle meine Knochen/ Glieder (*ache in every bone/ limb*).
Ich fühle mein Herz schlagen/ klopfen/ fühle Schmerz im Rücken.
Ich fühle mich schwer (*seriously*) krank/ viel besser (*better*)/ zehn Jahre jünger.
Die Sache nimmt ein schlimmes Ende.
Er hat eine ganz falsche Haltung in dieser Sache (*wrong attitude in this matter*).

Getting up   Aufstehen

27

razor	der Rasierapparat -e	dry o.s.	sich ab-trocknen
tap	der Wasserhahn ⸚e	shave o.s.	sich rasieren
room, space	der Raum ⸚e	open, turn on	auf-drehen
comb	der Kamm ⸚e	shut, turn off	zu-drehen
flannel	der Waschlappen -	clean	putzen
hairbrush	die Haarbürste -n	comb	kämmen
toothbrush	die Zahnbürste -n	bathe	baden
soap	die Seife -n	make(o.s.) up	(sich) schminken
tooth-paste	die Zahnpaste -n	brush	bürsten
showerbath	{ die Dusche -n { die Brause -n	let, leave (tr.) let in	lassen (ä, ie, a) ein-laufen lassen
bath(tub)	die Badewanne -n	pick up	auf-heben (o, o)
washbasin	das Waschbecken -	narrow,	eng
water	das Wasser -	cramped	
bath	das Bad ⸚er	under	unter (AD)
towel (bath-)	das (Bade)Handtuch ⸚er		

Ich drehe den Wasserhahn auf/ zu.
Ich lasse das Wasser in die Badewanne/ ins Waschbecken laufen.
Ich steige (get, climb) in die Badewanne.
Ich nehme ein Bad/ eine kalte Dusche.
Ich stelle mich unter die Brause/ gehe unter die Brause.
Ich wasche mich mit Seife.
Ich wasche mir Hände und Gesicht.
Ich trockne mich mit einem Handtuch ab.
Ich stelle mich vor den Spiegel und rasiere mich.
Ich putze mir die Zähne mit der Zahnbürste.
Ich kämme und bürste mir das Haar.
Die Mutter badet das Kind.
Heb das Handtuch vom Fußboden auf!
Sie hatte sich geschminkt/ war stark geschminkt.
Ich muß mir die Lippen schminken (put lipstick on).
Das Badezimmer ist sehr eng.
Im Badezimmer ist nicht genug Raum für einen Stuhl.
Ich habe meinen Kamm im Badezimmer gelassen.

Clothes (i) Kleider (i)

28

material	der Stoff -e	hole	das Loch ¨er
shoe	der Schuh -e	shirt	das Hemd -en
tie	der Schlips -e	vest	das Unterhemd
skirt	der Rock ¨e	nightshirt,	
petticoat	der Unterrock	nightdress	das Nachthemd
stocking	der Strumpf ¨e	nylon	das Nylon
pullover	der Pullover -		
velvet	der Samt	blue jeans	die Jeans (pl.)
jacket	die Jacke -n	press	drücken
blouse	die Bluse -n	iron	bügeln
trousers	die Hose -n	change (tr.)	wechseln
pants	die Unterhose	go out	*aus-gehen (ging, -gegangen)
'tights'	die Strumpfhose		
sock	die Socke -n	dress	(sich) an-ziehen (zog, -gezogen)
silk	die Seide -n		
wool	die Wolle -n	undress	(sich) aus-ziehen
cotton	die Baumwolle	change (intr.)	sich um-ziehen
pair	das Paar -e	tear	reißen (i, i)
dress, frock	das Kleid -er	after (conj.)	nachdem
clothes	die Kleider (pl.)	before (conj.)	bevor, ehe

Nachdem ich mich gewaschen habe, ziehe ich mich an.
Bevor ich mich anziehe, nehme ich ein Bad.
Zuerst ziehe ich Unterhemd und Hemd, Unterhose und Hose an.
Ich trage ein Hemd aus Baumwolle/ einen Schlips aus Seide/ eine Jacke aus
 Samt.
Meine Mutter hat ein schönes Kleid aus Samt.
Meine Strümpfe und Socken sind aus Wolle.
Die Strümpfe meiner Großmutter sind aus Nylon.
Was für schöne bunte Kleider du hast! (What lovely . . .)
Was für ein Kleid hat sie angezogen?
Aus was für Stoff ist das Kleid?
Du hast dir ein Loch ins Kleid/ in die Hose gerissen.
Diese Strumpfhose hat schon ein großes Loch.
Ich muß das Kleid bügeln, bevor ich es anziehe.
Ich muß mein Hemd wechseln.
Ich muß mich noch umziehen, bevor ich ausgehe.
Warum hast du deinen Pullover angezogen?—Weil das Feuer ausgegangen ist.
Zieh dich schnell um!/ Zieht euch schnell um!/ Ziehen Sie sich schnell um!
Sie hat zwei Paar schwarze/ weiße Schuhe gekauft.
Der Schuh drückt—er ist zu eng/ zu kurz/ nicht weit genug.

Clothes (ii) Kleider (ii)

29

umbrella	der (Regen)Schirm -e	clean	**reinigen**
glove	der Handschuh -e	dye	**färben**
suit	der Anzug ¨e	alter	**ändern**
pyjamas	der Schlafanzug	hide	**verstecken**
button	der Knopf ¨e	button (up)	**zu-knöpfen**
hat	der Hut ¨e	unbutton	**auf-knöpfen**
belt	der Gürtel -	put on (hat)	**auf-setzen**
overcoat	der Mantel ¨	take off (hat)	**ab-nehmen**
raincoat	der Regenmantel		**(nimmt, a,**
braces	der Hosenträger -		**-genommen)**
waistcoat	die Weste -n	come off (of	***ab-gehen (ging,**
apron	die Schürze -n	button, etc.)	**-gegangen)**
cap	die Mütze -n	lose	**verlieren (o, o)**
underclothes,	die Wäsche	brown	**braun**
washing		yellow	**gelb**
handkerchief	das Taschentuch ¨er	blue	**blau**
scarf	das Halstuch ¨er	gay (coloured)	**bunt**
leather	das Leder		

Ich habe mir einen Anzug/ einen Mantel/ einen Hut machen lassen (*have had made*).
Der Anzug besteht aus Hose, Jacke und Weste.
Er setzte den Hut/ die Brille auf.
Er nahm den Hut ab.
Sie zog die Handschuhe/ den Mantel an/ aus.
Es ist zu heiß hier. Knöpf deinen Mantel auf!
Bevor er ausging, knöpfte er seinen Mantel zu.
An der Jacke ist ein Knopf abgegangen.
Ich habe mein Taschentuch/ Halstuch/ meine Handschuhe verloren.
Dieser Mantel muß gereinigt/ gefärbt/ geändert werden.
Sie läßt ihre Kleider oft reinigen/ färben/ ändern.
Ich habe meinen Regenschirm/ Schirm zu Hause/ in der Schule gelassen.
Wo hast du schon wieder meine Handschuhe versteckt?
Sie hielt die Hände unter der Schürze versteckt.

Meals (i) Mahlzeiten (i)

30

spoon	der Löffel -	knife	das Messer -
plate	der Teller -	glass	das Glas ⁚er
tea	der Tee	tablecloth	das Tischtuch ⁚er
coffee	der Kaffee	breakfast	frühstücken
meal	die Mahlzeit -en	lay (table)	decken
fork	die Gabel -n	clear (table)	ab-räumen
napkin	die Serviette -n	invite	ein-laden (ä, u, a)
dish	die Schüssel -n	drink	trinken (a, u)
cup	die Tasse -n	break	(*)zerbrechen (i, a, o)
saucer	die Untertasse	call	rufen (ie, u)
cigar	die Zigarre -n		
cigarette	die Zigarette -n	thirsty	durstig
cutlery	das Besteck -e	hungry	hungrig
breakfast	das Frühstück -e	quick(ly)	schnell
supper	das Abendbrot -e	sharp	scharf
food, meal	das Essen -	blunt	stumpf
lunch	das Mittagessen	rather	lieber
dinner	das Abendessen		

Um wieviel Uhr frühstücken Sie/ essen Sie zu Mittag/ zu Abend?
Das Abendbrot ist um 8 Uhr.
Wir müssen schnell den Tisch decken/ abräumen.
Leg das Tischtuch/ die Löffel/ die Messer/ die Gabeln auf den Tisch!
Stell die Teller/ die Schüssel/ die Gläser auf den Tisch!
Trinken Sie gern Tee/ lieber Kaffee? (*Do you like tea/ prefer coffee?*)
Ich würde gern eine Tasse Tee/ eine Tasse Kaffee/ ein Glas Milch trinken.
Mach die Flasche auf!
Was gibt es heute zum (*for*) Frühstück/ Mittagessen/ Abendessen?
Wir sind sehr hungrig/ durstig.
Das Besteck muß geputzt werden.
Wir können nicht ohne Besteck essen.
Nach der Mahlzeit/ dem Mittagessen raucht der Vater seine Zigarre/ eine
   Zigarette.
Wir wurden zum Mittagessen/ Tee eingeladen.
Das Glas ist zerbrochen.
Du hast das Glas/ eine Tasse/ den Teller zerbrochen.
Mutter ruft uns zu Tisch.

Meals (ii) Mahlzeiten (ii)

31

wine	der Wein -e	like	mögen (mag,
fish	der Fisch -e		mochte,
guest	der Gast ⸚e		gemocht)
host	der Gastgeber -	may, be	dürfen (darf,
neighbour	der Nachbar -n/-n	allowed to	durfte,
sugar	der Zucker		gedurft)
honey	der Honig	cut	schneiden
cheese	der Käse		(schnitt,
bacon	der Speck		geschnit-
soup	die Suppe -n		ten)
slice	die Scheibe -n	ask (for),	bitten (bat,
jam	die Marmelade -n	request	gebeten) (um)
		offer	an-bieten (o,
bread, loaf	das Brot -e		o)
piece	das Stück -e		
beer	das Bier -e	hard	hart
roll	das Brötchen -	soft	weich
fruit	das Obst	bitter	bitter
meat	das Fleisch	in (adv.)	herein
hand, pass	reichen (AD)	out (adv.)	hinaus
cook, boil	kochen		
taste, like	schmecken		

Komm herein!/ Kommt herein!/ Kommen Sie herein!/ Herein! (*Come in!*)
Sie ging in den Garten hinaus.
Schmeckt Ihnen das Essen/ die Suppe/ das Fleisch? (*Do you like . . .?*)
Möchten Sie (*would you like*) ein Ei/ Speck zum (*for*) Frühstück?
Was ziehen Sie vor, Wein oder Bier?
Der Gastgeber bot seinen Gästen Wein an.
Darf ich um Brot/ um Milch/ um ein Glas Bier bitten?
Man muß das Fleisch mit einem scharfen Messer schneiden.
Er ißt zwei Scheiben Brot mit Butter und Marmelade/ Honig zum Frühstück.
Nehmen Sie noch eine (*another*) Tasse Tee/ noch mehr (*some more*) Zucker/
noch ein Glas Bier/ noch ein Stück Brot? (*Will you have . . .?*)
Ich trinke Tee ohne Milch/ Tee mit Zucker.
Man ißt die Suppe mit einem Löffel.
Ich esse gern weichgekochte/ hartgekochte Eier.
Reich mir/ Reichen Sir mir die Butter, bitte!
Wir haben unseren Nachbarn zum Abendessen eingeladen.

In the kitchen In der Küche

32

gas oven	der Gasherd -e
electric oven	der Elektroherd -e
supply	der Vorrat ⸚e
saucepan	der Kochtopf ⸚e
smell	der Geruch ⸚e
refrigerator	der Kühlschrank ⸚e
steel	der Stahl
frying-pan	die Bratpfanne -n
potato	die Kartoffel -n
flame	die Flamme -n
worry (about)	die Sorge -n (um)
scales	die Waage -n
love (of)	die Liebe (zu)
appliance, utensil	das Gerät -e
shelf	das Bord -e
crockery	das Geschirr -e
flour	das Mehl
vegetable(s)	das Gemüse
need	brauchen
peel	schälen
prepare	bereiten

burn	brennen (brannte, gebrannt)
begin to burn	an-brennen
bring	bringen (brachte, gebracht)
bake	backen (gebacken)
roast, fry	braten (ä, ie, a)
wash up	ab-waschen (ä, u, a)
help (with)	helfen (i, a, o) (D) (bei)
tough	zäh
useful	nützlich
useless	unnütz
excellent(ly)	ausgezeichnet
stainless	rostfrei
done (of food)	gar
cheap	billig
dear, expensive	teuer
ready, finished	fertig

Mutter kocht Essen (the/ a meal)/ Fleisch/ Gemüse/ Gerichte/ Mittag (lunch)/ auf kleiner Flamme.
Sie backt bei schwacher Hitze (in a slow oven)/ bei starker Hitze (in a hot oven).
Mutter muß alle Mahlzeiten/ das Frühstück/ das Mittagessen bereiten.
Mutter kocht gern/ mit Liebe/ ausgezeichnet.
Gemüse kocht man besser mit Öl/ mit sehr wenig Wasser.
Das Kochen macht ihr große Sorge/ keine Sorge.
Sie ist in Sorge/ macht sich Sorge um das Kind.
Das Fleisch ist immer noch zäh/ noch nicht gar/ schon gar/ sehr weich/ zart.
Das Fleisch/ Die Butter ist im Kühlschrank.
Die Kartoffeln sind noch nicht geschält/ müssen geschält werden.
Meine Mutter zieht einen Gasherd vor.
Was für ein unangenehmer Geruch! Ist etwas angebrannt? Brennt etwas?
Laß die Milch nicht anbrennen!
Wir haben viele Geräte/ Vorräte in der Küche.
Mutter stellt ihre Kochtöpfe und Bratpfannen auf das Bord.
Die Töpfe sind aus rostfreiem Stahl.
Solche Töpfe sind teuer/ sind nicht billig/ kosten viel Geld.
Komm in die Küche! Mach dich nützlich!
Mach dir doch keine unnütze Arbeit!
Bis (by) 7 Uhr muß alles/ muß das Essen fertig sein.
„Das Essen ist fertig!"
Die Kinder helfen der Mutter beim Abwaschen.
Wenn man backen will, braucht man eine Waage.

Pastimes and occupations in the house (i)
Zeitvertreibe und Beschäftigungen im Haus (i)

33

pastime	der Zeitvertreib -e	amuse o.s.	sich amüsieren
film	der Film -e	collect	sammeln
radio set	der Radioapparat -e	choose	wählen
television set	der Fernsehapparat -e	listen to	zu-hören (D)
record player	der Plattenspieler -	turn on	an-stellen
		turn off	ab-stellen
game	die Partie -n	put on (record)	auf-legen
record	die (Schall)Platte -n	play	spielen
longplaying record	die Langspielplatte	look at	fern-sehen
card	die Karte -n	television	(ie, a, e)
occupation	die Beschäftigung -en	record	auf-nehmen
lady, draughts	die Dame -n		(nimmt, a, -genommen)
news	die Nachricht -en	promise	versprechen
music	die Musik		(i, a, o) (AD)
play, game	das Spiel -e	spend (money)	aus-geben (i, a, e)
tape recorder	das Tonbandgerät -e	attentive(ly)	aufmerksam
tape	das (Ton)Band ⁀er	classical	klassisch
radio	das Radio -s	other	ander-
chess	das Schach	at least	mindestens

Wir haben die Musik auf Band aufgenommen (*made a tape-recording of*).
Wir haben die Musik im Radio (*on the radio*) gehört.
Hast du die neuesten (*latest*) Nachrichten gehört?
Ich habe schon lange keine Nachricht von meiner Tochter.
Jeden Abend hören wir Radio (*listen to*).
Wir haben ihm aufmerksam zugehört.
Wir haben den Film im Fernsehen gesehen.
Er hat mir einen Fernsehapparat zum Geburtstag versprochen.
Es ist angenehm, am Abend fernzusehen.
Bitte, stellen Sie den Apparat an/ ab!
Welche Langspielplatte hat sie gewählt?
Legen Sie eine andere Platte auf!
Wieviel Geld hast du für den Plattenspieler/ dafür (*for it*) ausgegeben?
Er hat mindestens siebzig Mark dafür ausgegeben.
Die Kinder haben viele Schallplatten gesammelt.
Der Vater spielt Karten/ Dame/ Schach/ eine Partie Schach mit den Kindern.
Er hat wie gewöhnlich die Partie (Schach) verloren.
Lesen (*reading*) ist eine angenehme Beschäftigung.
Wir haben uns alle gut amüsiert.

Pastimes and occupations in the house (ii)
Zeitvertreibe und Beschäftigungen im Haus (ii)

34

letter	der Brief -e	sweep	kehren
dance	der Tanz ⸚e	wipe, rub	wischen
thread	der Faden ⸚	relate, tell	erzählen
stamp	die (Brief)Marke -n	paint	malen
needle	die Nadel -n	sew	nähen
pin	die Stecknadel	knit	stricken
collection	die Sammlung -en	patch	flicken
needlework,	die Handarbeit -en	darn	stopfen
knitting		mix	mischen
violin	die Geige -n	photograph	fotografieren
guitar	die Gitarre -n	dance	tanzen
doll	die Puppe -n	draw	zeichnen
		busy o.s.	sich beschäftigen
piano	das Klavier -e	sing	singen (a, u)
instrument	das Instrument -e		
song	das Lied -er	mad,	toll
photo	das Foto -s	marvellous	
baby	das Baby -s	all sorts of	allerlei
		(things)	

Die Mutter badet das Baby/ zieht die Kinder an/ bringt das Kind zu Bett/
kehrt und reinigt die Zimmer/ wischt Staub im (*dusts*) Zimmer/ putzt die
Fenster/ wäscht die Wäsche/ näht Kleider für die Kinder/ strickt Strümpfe
und Socken/ stopft Löcher in Kleidern und Strümpfen/ stopft die Socken und
Strümpfe/ näht Knöpfe ans Hemd mit Nadel und Faden/ flickt die Hosen
ihrer Jungen/ beschäftigt sich mit Handarbeiten/ erzählt den Kindern
Geschichten.
Die Kinder sammeln Briefmarken/ machen Fotos/ entwickeln Filme/ malen
Bilder in Öl- oder Wasserfarben/ zeichnen gern (Gegenstände/ Personen aus
dem Kopf)/ spielen mit ihren Puppen/ spielen ihre neuesten Platten /
sehen jeden Abend fern/ erzählen einander Geschichten/ lernen allerlei
Instrumente spielen/ spielen Klavier, Gitarre und Geige/ singen Lieder.
Der Vater schreibt Briefe/ liest Bücher/ beschäftigt sich mit allerlei Fragen und
Problemen/ spielt (Karten) mit den Kindern/ geht gern mit Mutter tanzen
(*likes going dancing*).
Du mußt die Karten noch mischen (*shuffle*).
Der Junge hat eine schöne Briefmarkensammlung.
Es ist ganz toll, was du da gemacht hast!
Das ist ja eine ganz tolle Sache!

Amateur handicrafts (tools and materials)
Basteln (Werkzeuge und Materialien)

35

adhesive	der Klebstoff -e	do handi-	basteln
glue	der Leim -e	crafts, rig	
screwdriver	der Schraubenzieher -	up (things)	
plane	der Hobel -	need	brauchen
nail	der Nagel ⸴	screw on	an-schrauben
hammer	der Hammer ⸴	unscrew	ab-schrauben
adult	der Erwachsene (adj.)	hammer	hämmern
clay	der Ton	stick	kleben
screw	die Schraube -n	form, model	formen
saw	die Säge -n	carve	schnitzen
pliers,	die Zange -n	saw	sägen
pincers		pull, draw	ziehen (zog,
scissors	die Schere -n		gezogen)
leisure	die Freizeit	drive home	an-ziehen
tool	das Werkzeug -e	(screw)	
metal	das Metall -e	knock in	ein-schlagen
wood	das Holz ⸴er		(ä, u, a)
material	das Material -ien	simple	einfach
hobby	das Hobby -s	smooth(ly)	glatt
straw	das Stroh	firm(ly)	fest
		loose(ly)	locker

Nicht nur Kinder, sondern auch Erwachsene basteln gern in ihrer Freizeit.
Zum Basteln braucht man allerlei Werkzeuge und Materialien.
Mein Bruder bastelt schon lange an einem Radioapparat.
Er hat einen Tisch/ einen Schrank/ einen Stuhl gebastelt.
Man kann allerlei aus Ton formen/ aus Holz schnitzen/ aus Stroh machen.
Der Schrank muß fester angeschraubt/ wieder abgeschraubt werden.
Er hat die Schraube fest angezogen (driven right home)/ locker angezogen
  (driven not quite home).
Der Nagel war locker geworden.
Er zog den Nagel aus der Wand/ die Schraube aus dem Holz.
Es ist gar nicht so einfach, den Nagel auf den Kopf zu schlagen.
Versuch es mit einem kleineren Hammer zu schlagen.
Er mußte einen längeren Nagel in die Wand einschlagen.
Das Holz muß zuerst gesägt und gehobelt werden/ muß ganz glatt sein.

The sky   Der Himmel

36

star	der Stern -e	turn, revolve	**sich drehen**
horizon	der Horizont -e	dawn, grow	**dämmern**
moon	der Mond -e	dusk	
new moon	der Neumond	shine	**leuchten**
full moon	der Vollmond		
sunrise	der Sonnenaufgang ¨e	shine, seem	**scheinen** (ie, ie)
sunset	der Sonnenunter-	dawn, begin	***an-brechen**
	gang ¨e		(i, a, o)
beginning	der Anbruch ¨e	rise (of sun)	***auf-gehen** (ging,
(of time)			-gegangen)
dawn	der Tagesanbruch	set (of sun)	***unter-gehen**
sky	der Himmel -	increase, wax	**zu-nehmen**
sunshine	der Sonnenschein		(nimmt, a,
moonlight	der Mondschein		-genommen)
		decrease, wane	**ab-nehmen**
sun	die Sonne -n	bright, light	**hell**
earth	die Erde -n	very dark	**finster**
darkness	die Dunkelheit		
twilight	die Dämmerung	outside	**draußen**
		inside	**drinnen**
light	das Licht -er	in vain	**vergebens**

Die Erde dreht sich um die Sonne.
Die Sonne/ Der Mond geht auf/ unter/ scheint hell.
Die Sterne leuchten.
Der Tag/ Der Frühling/ Die Nacht/ Eine neue Zeit bricht an.
Wir standen vor/ bei (*at*) Tagesanbruch auf.
Sie kamen bei/ mit Anbruch des Tages/ der Nacht an.
Sie kamen bei/ mit anbrechendem Tag/ anbrechender Nacht/ bei Dunkelheit
   (*at nightfall*) an.
Der Mond nimmt zu (*waxes*)/ nimmt ab (*wanes*).
Meine Frau versucht vergebens abzunehmen (*lose weight*)/ zuzunehmen (*put on
   weight*).
Heute ist Neumond/ Vollmond.
Der Mond steht im ersten Viertel/ letzten Viertel.
Wir liegen gern/ lieber in der Sonne.
Bei (*in the*) Mondschein sieht alles so anders aus.
Wir haben nur wenig Sonnenschein in England.
Es sind heute abend keine Sterne am Himmel.
Es ist draußen sehr kalt, wenn die Sonne nicht scheint.
Es wird schon dunkel/ finster/ hell.
Es schien langsam dunkel zu werden.

The weather (i) Das Wetter (i)

37

degree	der Grad - *or* -e	forbid	verbieten (o, o) (AD)
drop	der Tropfen -	disappear	*verschwinden (a, u)
dew	der Tau		
air	die Luft ¨e		
cloud	die Wolke -n	mild	mild
heat	die Hitze	bleak, rough	rauh
cold	die Kälte	harsh	
warmth	die Wärme	damp, moist	feucht
weather	das Wetter -	wet	naß
thunderstorm	das Gewitter -	dry	trocken
barometer	das Barometer -	rainy	regnerisch
thermometer	das Thermometer -	clear	klar
climate	das Klima -s	sultry	schwül
follow	*folgen (D *or* auf+A)	now and again	ab und zu
		during	während (G)
threaten	drohen (D)	because of	wegen (G)
allow	erlauben (AD)	in spite of	trotz (G)
		while	während

Die Luft ist heute klar/ kühl/ frisch/ feucht/ trocken/ mild/ rauh (*bleak*).
Es ist gar keine Wolke am Himmel.
Es waren schwarze Wolken am Himmel.
Die Sonne verschwindet hinter den Wolken.
Bei diesem schlechten/ heißen/ kalten/ schwülen/ regnerischen/ rauhen (*bleak*)
    Wetter kann man nicht ausgehen.
Bei dieser Hitze geht man lieber baden.
Bei dieser strengen (*severe*) Kälte bleibt man lieber zu Hause.
Wir haben ein mildes/ rauhes (*severe*) Klima.
Auf den strengen/ rauhen Winter folgte ein milder Frühling.
Er ist mir nach Hause gefolgt.
Das Barometer ist gestiegen/ gefallen/ stehengeblieben (*unchanged*).
Wir haben heute 15 Grad.
Das Thermometer steht auf 10 Grad/ über Null/ unter Null.
Vor einem Gewitter ist es gewöhnlich schwül.
Sie drohte den Kindern mit dem Finger/ mit Strafe.
Trotz des schlechten Wetters gehen wir jeden Tag aus.
Wegen des schlechten Wetters/ Während des Gewitters bleiben wir zu Hause.
Während die Kinder badeten, arbeiteten die Eltern im Garten.
Meine Mutter erlaubt uns nie/ verbietet uns immer, bei solchem Wetter
    draußen zu spielen.
Es hat ab und zu/ den ganzen Tag geregnet.

The weather (ii) Das Wetter (ii)

38

lightning	der Blitz -e	protect	(sich) schützen
wind	der Wind -e	(o.s.) from	vor (D)
gale	der Sturm ⁝e	seek, look for	suchen
frost	der Frost ⁝e	blow	wehen
fog, mist	der Nebel -	blow hard	blasen
rain	der Regen		(ä, ie, a)
thunder	der Donner	freeze	(*)frieren (o, o)
snow	der Schnee	freeze over	*zu-frieren
hail	der Hagel		
stillness	die Stille	still, silent	still
		violent, strong	heftig
ice	das Eis	thick, dense	dicht
		grey	grau
snow	schneien	shrouded in	gehüllt in(A)
hail	hageln		
thunder	donnern	every time	jedesmal
lighten	blitzen	when	als

Es hat den ganzen Tag geregnet/ geschneit/ gedonnert.
Wir haben den ganzen Tag Regen/ Schnee gehabt.
Schnee bedeckt die Erde.
Die Erde ist mit Schnee bedeckt.
Es droht zu schneien/ zu regnen.
Der Wind weht kalt/ weht über das Wasser/ hat aufgehört/ bringt Regen.
Ein heftiger/ starker/ kalter/ warmer/ schneidender (keen) Wind bläst durch
  die Straßen/ um die Ecke.
Der Sturm bläst heftig.
Der Himmel ist heute bedeckt (overcast).
Morgen gehen wir aufs Eis.
Im Nebel sieht alles grau aus.
Alles (everything) war in dichten Nebel gehüllt.
Es scheint gefroren zu haben.
Das Wasser ist gefroren/ zugefroren.
Endlich hörte der Regen auf/ wurde alles ganz still.
Das war die Stille vor dem Sturm.
Auf Regen folgt Sonnenschein. (Every cloud has a silver lining.)
Jedesmal wenn es regnet, habe ich keinen Schirm.
Wir suchten uns vor dem heftigen Regen/ vor dem Gewitter/ vor dem Sturm
  zu schützen.

The garden Der Garten

39

path	der Gartenweg -e	hate	hassen
dog	der Hund -e	chase, hunt	jagen
tree	der Baum ⸚e	bloom	blühen
fence	der Zaun ⸚e	wag	wedeln mit
tail	der Schwanz ⸚e	burn (up)	verbrennen
hunter	der Jäger -		(-annte,
lawn	der Rasen -		-annt)
shadow	der Schatten -	water, pour	gießen (o, o)
bench	die Bank ⸚e	enjoy	genießen (o, o)
cat	die Katze -n	dig	graben (ä, u, a)
flower	die Blume -n	dig over	um-graben
hedge	die Hecke -n	die (of plants,	*ein-gehen (ging,
hunt, chase	die Jagd -en	animals)	-gegangen)
rest	die Ruhe	green	grün
garden bed	das Beet -e	withered	welk
grass	das Gras ⸚er	(un)tidy	(un)ordentlich
leaf	das Blatt ⸚er	passionate	leidenschaftlich
weed(s)	das Unkraut	otherwise,	sonst
		or else	
		instead of	(an)statt (G)

Der Garten ist von einer Hecke umgeben.
Die Beete müssen im Herbst umgegraben werden.
Das Gras muß wieder geschnitten werden.
Die Mutter liebt Blumen.
Sie liebt es/ zieht es vor, im Garten zu arbeiten.
Statt meines Bruders mußte ich im Garten arbeiten.
Ich hasse es, das Gras schneiden zu müssen/ die Beete umgraben zu müssen.
Die Kinder machen ein Feuer und verbrennen die trockenen Blätter und das
    Unkraut, die sie gesammelt haben.
Der Garten sieht schön ordentlich (nice and tidy) aus.
Es sind keine welken Blätter zu sehen (to be seen).
Im Garten gibt es kein Unkraut mehr.
Schöne Bäume wachsen im Garten.
Bei heißem Wetter sitzen wir im Schatten unter den Bäumen/ auf einer Bank.
Allerlei Blumen blühen im Garten.
Der Rasen sieht sehr gepflegt aus.
Da es wochenlang nicht geregnet hat, müssen wir die Blumen jetzt jeden Tag
    gießen, sonst gehen sie alle ein.
Im Garten kann man die frische Luft in Ruhe genießen.
Der Hund wedelt mit dem Schwanz.
Im Garten jagt der Hund die Katze, und die Kinder jagen einander.
Die Katze ist ein leidenschaftlicher Jäger, sie geht jeden Tag auf die Jagd.
Der Hund hat schon wieder ein Loch im Garten gegraben.
Viele schöne Bäume/ Blumen sind eingegangen.

Flowers and vegetables Blumen und Gemüse

40

view, glance	der Blick -e	plant	pflanzen
bunch	der Strauß ⸚e	scent	duften
scent	der Duft ⸚e	sow	säen
stem, stalk	der Stengel -	hope for	hoffen auf (A)
seed	der Samen -	dare	wagen
kitchen garden	der Gemüsegarten ⸚	lie down	sich (hin)legen
string	der Bindfaden ⸚	tie	binden (a, u)
cabbage	der Kohl -köpfe	grow (tr.)	ziehen (zog,
trouble	die Mühe -n		gezogen)
plant	die Pflanze -n		
bean	die Bohne -n	same	gleich
pea	die Erbse -n	exact(ly)	genau
rose	die Rose -n	(in) vain	vergeblich
tulip	die Tulpe -n	(un)favourable	(un)günstig
carnation	die Nelke -n	some	einige
violet	das Veilchen -	several	mehrere
		together	zusammen
put, plant (out)	setzen		

Ich esse gern Erbsen, aber ich mag Kohl nicht.
Der Kohl muß jetzt gepflanzt werden.
Im Gemüsegarten gibt es schon Bohnen und Erbsen.
Rosen, Tulpen und Nelken blühen ungefähr zur gleichen Zeit.
Ziehen Sie Ihr eigenes Gemüse?
Rosen und Veilchen duften schön/ haben einen schönen Duft.
Einige Blumen sind leicht/ schwer zu ziehen.
Einige Blumen kann man leicht/ nur schwer ziehen.
Wir hoffen, dieses Jahr schöne Rosen zu haben.
In unserem Garten gibt es Blumen in allen Farben.
Was für eine Farbe hat diese Rose? (*What is the colour of this rose?*)
Ich wage es nicht, bei diesem Wetter die Blumen ins Beet zu pflanzen/ die
  jungen Pflanzen zu setzen.
Man muß genau wissen, wann gesät/ gepflanzt werden soll.
Was man im Garten tut, ist oft vergebliche Mühe.
Sie hat einen sehr schönen Strauß Gartenblumen/ Rosen/ Nelken gebunden.
Nimm Bindfaden und binde das hier zusammen!
Es regnet Bindfäden (*cats and dogs*).
In diesem Teil des Gartens wollen wir Blumen/ Gemüse ziehen.
Von unserem Garten haben wir einen schönen Blick auf (*view of*) das Haus.
Ich lege mich gern ins Gras/ unter den Baum.

Fruits and nuts Obst und Nüsse

41

peach	der Pfirsich -e	raspberry	die Himbeere -n
taste	der Geschmack ¨e	blackberry	die Brombeere -n
apple	der Apfel ¨	gooseberry	die Stachelbeere -n
orchard	der Obstgarten ¨	black-/ red-	die schwarze/ rote
permission	die Erlaubnis -se	currant	Johannisbeere -n
fruit	die Frucht ¨e	grapefruit	die Grapefruit -s
nut	die Nuß ¨(ss)e	pineapple	die Ananas - *or* -se
walnut	die Walnuß	neighbour-	die Nähe
hazelnut	die Haselnuß	hood	
pear	die Birne -n	harvest, gather	ernten
cherry	die Kirsche -n	pick	pflücken
plum	die Pflaume -n	(un)ripe	(un)reif
apricot	die Aprikose -n	sour	sauer
orange	die Apfelsine -n	full up	satt
lemon	die Zitrone -n		
banana	die Banane -n	some one	jemand
tomato	die Tomate -n	behind	hinter (AD)
strawberry	die Erdbeere -n		

Im Garten haben wir viel Obst/ viele Früchte/ viele Erdbeeren/ viele Himbeeren/ viele Nüsse.

Sie haben den Obstgarten hinter dem Haus.

Pfirsiche sind schwer zu ziehen.

Äpfel müssen reif sein, ehe/ bevor man sie erntet/ pflückt.

Ich pflücke nicht gern Stachelbeeren/ Brombeeren/ Himbeeren.

Er pflückt nie Erdbeeren, aber er ißt sie gern.

Apfelsinen/ Bananen/ Zitronen wachsen nicht in unserem Klima.

Diese Erdbeeren schmecken gut/ haben einen guten Geschmack.

Ich habe zu viel Obst gegessen, ich bin satt.

Schnell! Es ist jemand im Obstgarten!

In der Nähe/ Nicht weit von uns gibt es viele Obstgärten/ wächst viel Obst.

Wir haben die Erlaubnis, soviel Äpfel/ Erdbeeren/ Himbeeren zu pflücken, wie wir wollen.

Mit ihm ist nicht gut Kirschen essen. (*It's best to stay on the right side of him.*)

Trees and shrubs Bäume und Sträucher

42

branch	der Zweig -e	birch	die Birke -n
trunk	der Stamm ⸚e	poplar	die Pappel -n
bough	der Ast ⸚e	lime	die Linde -n
fruit-tree	der Obstbaum ⸚e	willow	die Weide -n
apple-tree	der Apfelbaum	root	die Wurzel -n
pear-tree	der Birnbaum	foliage	das Laub
chestnut-tree	der Kastanienbaum		
tree-top	der Wipfel -	fell	fällen
shrub	der Strauch ⸚er	fall	*stürzen
oak	die Eiche -n	climb (up)	*klettern
beech	die Buche -n		(auf+A)
ash	die Esche -n	crooked	krumm
elm	die Ulme -n	straight; just,	gerade
spruce	die Fichte -n	exactly	
fir	die Tanne -n	hollow	hohl
pine	die Kiefer -n	the more …	je mehr …
larch	die Lärche -n	the more	desto mehr

Fichten, Tannen, Kiefern und Lärchen haben Nadeln/ keine Blätter.
Eichen, Buchen, Linden, Ulmen und Birken haben Blätter/ keine Nadeln.
Der Kastanienbaum blüht im Mai.
Kirsch-, Birn- und Apfelbäume blühen im Frühling im Garten.
Wenn die Esche vor der Eiche blüht, wird der Sommer sehr heiß.
Weiden stehen oft am Wasser.
Die Eiche hat sehr krumme/ starke Äste/ dicke Wurzeln.
Die neugepflanzte Lärche hat schon gut Wurzel geschlagen.
Tannen haben sehr gerade Stämme.
Die Zweige der Birke sind dünn.
Der Stamm der Eiche ist hohl. Der Baum muß gefällt werden.
Der Baum ist schnell/ langsam/ krumm/ gerade/ hoch gewachsen.
Alle Kinder lieben es, auf Bäume zu klettern.
Allerlei Gegenstände/ Schöne Möbel werden aus Holz/ Eichenholz/ Fichtenholz
  (*deal*) gemacht.
Je höher er auf den Baum kletterte, desto gefährlicher sah es aus.
Er ist vom Baum gestürzt und hat sich schwer verletzt/ hat sich (D) den Fuß
  verstaucht.
Er sieht den Wald vor Bäumen nicht (*prov.*).

Birds and insects Vögel und Insekten

43

starling	der Star -e	bee	die Biene -n
butterfly	der Schmetterling -e	wasp	die Wespe -n
song, singing	der Gesang ¨e	robin	das Rotkehlchen -
wing	der Flügel -	nest	das Nest -er
beak	der Schnabel ¨:	insect	das Insekt -en
(earth)worm	der (Regen)Wurm ¨er		
sparrow	der Spatz -en/-en	flutter	(*)flattern
lark	die Lerche -n	itch, scratch	jucken
swallow	die Schwalbe -n	fly	*fliegen (o, o)
pigeon, dove	die Taube -n	creep	*kriechen (o, o)
thrush	die Drossel -n	sting	stechen (i, a, o)
blackbird	die Amsel -n	catch,	fangen (ä, i, a)
nightingale	die Nachtigall -en	capture	
feather	die Feder -n	eat (of	fressen (i, a, e)
fly	die Fliege -n	animal)	
midge, gnat	die Mücke -n	only, single	einzig

Vögel bauen ihre Nester im Frühling.
Insekten kriechen überall auf der Erde und auf den Blättern.
Es gibt auch Insekten, die in der Luft fliegen.
Vögel fangen Insekten und Würmer und fressen sie.
Es juckt mich/ mir an der Hand/ am Arm.
Ich muß von Mücken gestochen worden sein.
Es wird noch schlimmer, wenn du dich juckst (scratch).
Wenn dich eine Biene oder Wespe sticht, tut es weh.
Die Biene soll nur ein einziges Mal stechen können.
Schmetterlinge flattern von einer Blume zur anderen.
Schon bei Tagesanbruch fangen die Vögel an/ beginnen die Vögel zu singen.
Ich höre sehr gern den Gesang der Vögel, aber nicht früh am Morgen.
Die Vögel putzten sich (preened) die Federn.
Wenn ich im Garten die Beete umgrabe, kommt immer ein Rotkehlchen zu
  mir geflogen (comes flying).
Wenn die Schwalben hoch fliegen, kann man bei uns auf schönes Wetter hoffen.
Besser ein Spatz in der Hand als eine Taube auf dem Dach (prov.).

Fish Fische

44

shark	der Haifisch -e	sea	das Meer -e
haddock	der Schellfisch	boat	das Boot -e
cod	der Stockfisch	fishing boat	das Fischerboot
herring	der Hering -e	net	das Netz -e
salmon	der Lachs -e	bank, shore	das Ufer -
pond	der Teich -e		
river	der Fluß ¨(ss)e	fish, catch	fischen
beach	der Strand ¨e	fish	
fisherman	der Fischer -	angle, fish	angeln (nach)
carp	der Karpfen -	(for)	
lake	der See -n	dry	trocknen
		spread out	aus-breiten
trout	die Forelle -n		
plaice	die Scholle -n	swim	(*)schwimmen (a, o)
sole	die Seezunge -n		
coast	die Küste -n	sweet; fresh	süß
danger	die Gefahr -en	(water)	
sea	die See	(im)patient	(un)geduldig
(im)patience	die (Un)Geduld		

Karpfen und Forellen sind Süßwasserfische.
Seezungen, Schollen und Heringe sind Seefische (*salt-water fish*).
Ich esse gern Schellfisch/ Stockfisch.
Ich esse lieber Lachs/ Forelle.
Ich ziehe Scholle/ Seezunge vor.
In Deutschland wird Karpfen zu Weihnachten gegessen.
Fischer müssen viel Geduld haben/ müssen sehr geduldig sein.
Er saß den ganzen Tag am Ufer des Sees, fing aber keine Fische/ hat aber
 vergeblich geangelt.
Er stand am Ufer des Flusses und fischte viele Fische/ angelte nach Forellen.
In diesem Fluß/ Teich/ See fischt es sich gut (*there is good fishing*).
Wenn wir ans Meer gehen, mieten wir oft ein Boot und gehen fischen/ angeln.
Als wir am Meer waren, haben wir den ganzen Tag gebadet und geschwommen.
Er ist vom Boot bis zum Ufer geschwommen.
Er schwimmt wie ein Fisch.
Wegen der vielen Haifische dort ist das Schwimmen sehr gefährlich.
Am Strand wurden die Netze/ die Fischernetze zum Trocknen ausgebreitet.
Wir konnten die Fischerboote von der Küste aus gut sehen.

The farm (i)   Der Bauernhof (i)

45

difference	der Unterschied -e	cereal	das Getreide -
farmer	der Landwirt -e	field	das Feld -er
farm	der Bauernhof ⸚e	corn	das Korn
sack	der Sack ⸚e	hay	das Heu
plough	der Pflug ⸚e	straw	das Stroh
damage, harm	der Schaden ⸚		
soil	der Boden ⸚	plough	pflügen
peasant	der Bauer -n/-n	cause (harm)	an-richten
wheat	der Weizen	be afraid of	sich fürchten vor
rye	der Roggen		(D)
oats	der Hafer	get into	*geraten
		(difficulty)	(ä, ie, a) (in)
distress, need	die Not ⸚e	bring in	ein-bringen
meadow	die Wiese -n		(brachte,
harvest, crop	die Ernte -n		-gebracht)
barn	die Scheune -n		
machine	die Maschine -n	(un)fertile	(un)fruchtbar
farming	die Landwirtschaft	(un)necessary	(un)nötig
fear (of)	die Furcht	(un)important	(un)wichtig
	(vor +D)	surprising	erstaunlich
barley	die Gerste	near	nah

Der Bauer/ Landwirt muß von früh bis spät arbeiten/ auf den Beinen sein.
Er fürchtet sich nicht/ hat keine Furcht vor dem schlechten Wetter.
Hagel/ Ein Gewitter/ Harter Frost kann manchmal großen Schaden anrichten.
Der Bauer hat viele teuere Maschinen nötig/ kaufen müssen.
Es ist gar nicht erstaunlich, daß/ wenn der Bauer oft in (große) Schwierigkeiten/
    in Not gerät.
Der Boden ist hier sehr fruchtbar/ gar nicht fruchtbar.
Im Herbst/ Frühling pflügt man die Felder und sät Weizen/ Korn/ Getreide.
Die Ernte muß trotz des schlechten Wetters eingebracht werden.
Man hofft immer auf gutes Erntewetter.
Weizen ist eins der wichtigsten Getreide.
Der Bauer hat mehr als 50 Sack Korn/ Getreide/ Kartoffeln in der Scheune.
Es ist ein großer Unterschied zwischen den beiden Bauern/ den beiden
    Bauernhöfen/ den beiden Feldern.

The farm (ii)   Der Bauernhof (ii)

46

bull	der Stier -e	chicken	das Huhn ̈er
profit	der Gewinn -e	cattle	{ das Rind -er
loss	der Verlust -e		{ das Vieh
success	der Erfolg -e	calf	das Kalb ̈er
price	der Preis -e	capital	das Kapital -ien
market	der Markt ̈e	supply (of)	das Angebot (an+D)
stable,	der Stall ̈e		
cowshed		earn, deserve	verdienen
tractor	der Traktor -en	feed	füttern
ox	der Ochse -n/-n	apply	an-wenden
cow	die Kuh ̈e		(wandte,
goose	die Gans ̈e		-gewandt)
duck	die Ente -n	depend (on)	ab-hängen (i, a)
herd, flock	die Herde -n		(von)
method	die Methode -n	drive	treiben (ie, ie)
demand (for)	die Nachfrage	(animal)	
	(nach)	avoid	vermeiden
sheep	das Schaf -e		(ie, ie)
pig	das Schwein -e	successful	erfolgreich
horse	das Pferd -e	necessary	notwendig
animal	das Tier -e	(in)dependent	(un)abhängig
		(of/on)	(von)

Der Bauer hat großen Erfolg mit seinem Vieh/ seinen Schafen/ seinen
Schweinen.
Er ist in allem erfolgreich.
Er wendet die neuesten Methoden an.
Er hat eine schöne Herde Kühe/ Rinder.
Im Winter bleiben die Ochsen und Kühe drinnen im Stall.
Das Vieh muß/ Die Hühner müssen gefüttert werden.
Die Ernten sind vom Wetter abhängig.
Ob die Ernte gut oder schlecht sein wird, hängt sehr vom Wetter ab.
Der Preis, den der Bauer für seine Schweine bekommt, hängt von Angebot und
Nachfrage ab.
Das Vieh wurde zum Markt/ auf den Markt getrieben und dort verkauft.
Hühner, Gänse und Enten legen Eier.
Der Bauer braucht immer viel Kapital.
Für den Bauern ist der Traktor von allen Maschinen die wichtigste/ die
notwendigste.
Er hat seine Kühe/ Ochsen/ Schafe mit Gewinn/ ohne Verlust verkauft.
Er hat unnötige Verluste vermieden.
Er hat es vermieden, von seinem Vater abhängig zu sein.

In town In der Stadt

47

way	der Weg -e	shop, business	das Geschäft -e
park	der Park -e *or* -s	theatre	das Theater -
square, room	der Platz ⁝e	parking meter	das Parkometer -
car park	der Parkplatz	store	das Kaufhaus ⁝er
(town) map	der (Stadt)Plan ⁝e	car	das Auto -s
cemetery	der Friedhof ⁝e	pay atten-	auf-passen
purchase	der Einkauf ⁝e	tion, take	
car, cart	der Wagen -	care	
car park attendant	der Parkwächter -	park	parken
fountain	der Springbrunnen -	part, separate	(sich) trennen
shop	der Laden ⁝	know	kennen (kannte,
capital city	die Hauptstadt ⁝e		gekannt)
metropolis	die Großstadt	know	wissen (weiß,
small town	die Kleinstadt		wußte, gewußt)
street	die Straße -n	look at	(sich) an-sehen (ie, a, e)
side-street	die Nebenstraße	careful(ly)	vorsichtig
'sight(s)'	die Sehenswürdigkeit -en	busy (street)	belebt
distance	die Entfernung -en	(to) there	dorthin
hurry	die Eile		
caution, care	die Vorsicht		

Haben Sie genug Platz?—Ja, im Wagen ist noch Platz.
Bitte nehmen Sie Platz! (*Do sit down.*)
Wenn man eine Stadt nicht kennt, kauft man sich (D) (*buys oneself*) einen Stadtplan.
Auf dem Stadtplan findet man alle Haupt- und Nebenstraßen (*main roads and side-streets*).
Darf man hier parken?—Nein, hier darf man nicht (*must not*) parken.
Wenn man in eine Stadt kommt, parkt man den Wagen/ das Auto am besten auf einem Parkplatz.
Wollen wir (*shall we*) heute abend ins Theater gehen?
Wir wollen (*let us*) heute abend ins Theater gehen!
Gehen wir (*let us go*) heute abend ins Theater!
Ich habe einen guten/ schlechten Platz im Theater bekommen.
Weißt du/ Wissen Sie, wie man zum Theater kommt (*how one gets*)?
Da wir nicht wußten, wo das Kaufhaus war, fragten wir nach dem Weg dorthin (*we asked the way there*).
Auf den Plätzen einer Großstadt stehen oft Springbrunnen.
Man macht Einkäufe in Läden und Kaufhäusern/ bei Woolworth.
Er ist immer in großer Eile.
Es hat keine Eile. (*There is no hurry.*)
Man geht um die Ecke/ trifft sich an der Ecke.
Ich sehe mir/ Man sieht sich die Sehenswürdigkeiten der Stadt an.
In einer Großstadt sind die Entfernungen manchmal sehr groß.
Vorsicht! Da kommt ein Wagen/ ein Auto.
Wenn man über die Straße gehen will, muß man sehr aufpassen.
Hier trennen sich unsere Wege.

Buildings Gebäude

48

cathedral	der Dom -e,	hotel	das Hotel -s
station	der Bahnhof ⸚e	restaurant	das Restaurant -s
main station	der Hauptbahnhof	café	das Café -s
palace	der Palast ⸚e	cinema	das Kino -s
tower	der Turm ⸚e	museum	das Muse-um -en
church	die Kirche -n	accompany	begleiten
bank	die Bank -en	study	studieren
(picture) gallery	die (Bilder)Galerie -n	recommend	empfehlen (ie, a, o)
university	die Universität -en	put up (at)	*ab-steigen (ie, ie) (in + D)
library	die Bibliothek -en		
opera	die Oper -n	magnificent	prächtig
post(office)	die Post	public	öffentlich
building	das Gebäude -	private	privat, Privat-
post office	das Postamt ⸚er	famous	berühmt
mansion, palace	das Schloß ⸚(ss)er	the same	derselbe
opera house	das Opernhaus ⸚er		
hospital	das Krankenhaus		
town-hall	das Rathaus		

Mein Junge besucht (*goes to*) dasselbe Gymnasium wie dein Bruder.
Wir gehen jeden Sonntag zur Kirche.
Ich bin zur Post/ zur Schule/ zur Bank/ zum Bahnhof gegangen.
Er geht auf/ in die Schule/ auf die Universität (*goes to, attends*).
Ich bin auf die Bank/ auf die Post/ aufs Rathaus gegangen.
Wir sind heute in die Kirche/ in die Oper/ in die Bildergalerie/ in den Dom/
ins Museum/ ins Theater/ ins Kino/ ins Hotel/ ins Restaurant gegangen.
Wir haben uns (D) viele prächtige Gebäude angesehen.
Er studiert an der Universität (Bonn).
Er ist Lehrer an der Schule/ lehrt an der Universität.
Können Sie ihr ein gutes Hotel/ Restaurant empfehlen?
Er steigt immer in diesem Hotel/ bei seinen Verwandten ab.
Wo wollen wir uns treffen? Am (*at*) Bahnhof? Nein, lieber auf (*in*) dem
Bahnhof.
Darf ich Sie nach Hause/ zum Bahnhof begleiten?
Viele der öffentlichen Gebäude der Hauptstadt/ dieser Stadt sind aus dem
achtzehnten Jahrhundert.
Das ist eine Privatbank/ eine Privatschule/ ein privater Eingang.
Er gibt Privatunterricht/ Privatstunden.

In the hotel   Im Hotel

49

remainder, rest, remnant	der Rest -e	inn	das Gasthaus ¨er
court-yard	der Hof ¨e	match	das Streichholz ¨er
wish	der Wunsch ¨e	luggage	das Gepäck -stücke
dining-room	der Speise-saal -säle	staff	das Personal
suitcase	der Koffer -	fill up	aus-füllen
traveller	der Reisende (adj.)	stay (in hotel)	wohnen
		spend the night	übernachten
bill	die Rechnung -en	thank	danken (D)
brief-case	die Mappe -n	excellent(ly)	vorzüglich
W.C.	die Toilette -n	clean	sauber
service	die Bedienung	dirty	schmutzig
form	das Formular -e	running	fließend
ideal	das Ideal -e	(water)	
program(me)	das Programm -e	too	zu
single room	das Einzelzimmer -	not even	nicht einmal
double room	das Doppelzimmer -	thank you	danke (schön)
tip	das Trinkgeld -er		

Dieses Hotel ist mein Ideal/ nicht gerade (*not exactly*) mein Ideal.
In welchem Hotel/ Gasthaus wohnen Sie/ steigen Sie ab?
In diesem Hotel kann man vorzüglich essen.
Dieses Hotel hat eine vorzügliche Küche (*food, cuisine*).
Ich steige immer in demselben Hotel ab.
Ich möchte/ Kann ich ein Zimmer für eine Nacht/ zwei Nächte haben?
Haben Sie ein Einzelzimmer/ Doppelzimmer/ ein ruhiges Zimmer mit zwei
   Betten/ ein Zimmer mit fließendem Wasser/ ein Zimmer mit Bad/ ein Zimmer
   nach dem Hof für eine Nacht?
Ich möchte ein Zimmer im ersten/ im zweiten/ im fünften Stock.
Was kostet das Zimmer?—Es kostet DM 17.
Mit oder ohne Bedienung?—Mit Bedienung (*service included*).
Das Zimmer sieht schön sauber aus/ hat fließendes Wasser.
Das Zimmer ist mir zu laut/ zu klein/ zu teuer/ zu dunkel.
Wer bringt meine Koffer/ mein Gepäck herauf/ herunter?
Wo ist das Badezimmer/ die Toilette/ der Speisesaal?
Tragen Sie bitte meine Sachen/ meinen Koffer hinauf/ hinunter!
Bitte wollen Sie das Formular ausfüllen.
Soll (*shall*) ich Sie morgen wecken?/ Wollen Sie geweckt werden?
Ich möchte um 7 Uhr geweckt werden.
Kann ich das Frühstück auf (*in*) meinem Zimmer essen?
Muß ich im Speisesaal frühstücken?
Ist Post für mich angekommen?
Haben Sie noch einen Wunsch? (*Is there anything else you'd like?*)—Ja, haben
   Sie Streichhölzer?
Ich stelle meine schmutzigen Schuhe vor (*outside*) die Tür.
Kann ich meine Rechnung haben?
Behalten Sie den Rest! (*Keep the change.*)
Wer vom Personal bekommt Trinkgelder?
Er hat nicht einmal für das Trinkgeld gedankt.
Haben Sie ein Fernsehprogramm?
Was steht heute auf unsrem Programm? (*What shall we do today?*)

In the restaurant   Im Restaurant

50

white wine	der Weißwein -e	table d'hôte	das Menü -s
red wine	der Rotwein -e	salt	das Salz
appetite	der Appetit -e	'waitress!'	(das) „Fräulein!"
salad, lettuce	der Salat -e	order	bestellen
waiter	der Kellner -	reserve	belegen
headwaiter	der Ober(kellner)	serve (o.s.)	(sich) bedienen
roast veal	der Kalbsbraten	discover	entdecken
roast beef	{ der Rindsbraten / der Rinderbraten	pay	zahlen
roast pork	der Schweinebraten	pay (s.b./for s.th.)	bezahlen
pepper	der Pfeffer		
mustard	der Senf	certainl(y)	sicher
rice	der Reis	personal(ly)	persönlich
hunger	der Hunger	raw	roh
thirst	der Durst	himself (etc.)	selbst
discovery	die Entdeckung -en	therefore, so, then	also, deshalb
menu	die Speise(n)karte		
waitress	die Kellnerin -nen	I (etc.) hope	hoffentlich

Wer hat dieses Restaurant entdeckt?—Es ist meine Entdeckung.
Wir haben einen Tisch am Fenster belegt.
Wir möchten einen Tisch in der Ecke haben.
Bitte nehmen Sie hier/ an diesem Tisch Platz.
Wir haben großen Appetit/ großen Hunger/ großen Durst/ keinen Durst.
Hättest du Appetit auf (*would you fancy*) ein halbes Huhn?
Ich persönlich ziehe Weißwein vor. Aber du sicher nicht. Oder . . . ?
Was können Sie uns empfehlen?
Wir bestellen also nach der (Speise)Karte:
  einmal Schweinebraten mit Kartoffeln und Gemüse
  zweimal Huhn mit Reis
  einmal Kalbsbraten mit Erbsen und Salat.
Ich nehme das Menü zu DM 7/ zu sieben Mark.
Herr Ober!/ Fräulein! bringen Sie mir bitte zweimal Rindsbraten/ noch ein
  Glas Bier/ noch einen Teller/ noch eine Flasche Wein/ noch ein Stück Brot/
  noch etwas Butter.
Guten Appetit! Hoffentlich schmeckt es Ihnen. (*I hope you'll like it.*)
Was für Obst/ Gemüse/ Käse haben Sie? Kann man rohes Obst bekommen?
Wir möchten zahlen./ Die Rechnung bitte!
Ich komme gleich/ sogleich/ sofort.
Er hat die Rechnung/ seinen Kaffee selbst bezahlt.

At the post-office   Auf der Post

apparatus	der Apparat -e	put	stecken
envelope	der (Brief)Umschlag	post, pocket	ein-stecken
	̈e	empty	leeren
postman	der Briefträger -	fold	falten
sender's	der Absender -	dial, choose	wählen
name		telephone	telefonieren mit
counter	der Schalter -	throw	werfen (i, a, o)
letter-box	der Briefkasten ̈	hand in, post,	auf-geben (i, a, e)
name	der Name -ns/-n	give up	
postcard	die Postkarte -n	register	ein-schreiben (ie,
postal order	die Postanweisung		ie)
	-en	ring up	an-rufen (ie, u)
number	die Nummer -n	connect	verbinden (a, u)
address	die Adresse -n	be	sich befinden (a, u)
reverse side	die Rückseite -n	coloured	farbig
airmail	die Luftpost		
telephone	das Telefon -e	instead of	(an)statt . . . zu
telegram	das Telegramm -e	. . . -ing	
parcel	das Paket -e		

Er faltete den Brief und steckte ihn in einen Briefumschlag.
Vergiß nicht, den Namen und die Adresse auf die Postkarte/ auf den
 Briefumschlag zu schreiben.
Ich muß noch eine Marke auf den Umschlag kleben.
Willst du bitte den Brief in den Briefkasten stecken/ werfen?
Willst du bitte den Brief einstecken?
In Deutschland sind die Briefkästen und Postwagen gelb; bei uns in England
 sind sie rot.
Man muß den Absender auf die Rückseite des Briefumschlags schreiben.
Wollen Sie bitte dieses Paket/ ein Telegramm auf der Post aufgeben?
Wo befindet sich das Postamt?
Ich habe das Formular/ die Postanweisung ausgefüllt.
Ich möchte diesen Brief mit Luftpost/ eingeschrieben schicken.
An welchem Schalter bekommt man Briefmarken/ Marken?
Haben Sie farbige Postkarten?
Er ging zum Telefon und rief sie an.
Welche Nummer soll ich wählen?
Bleiben Sie am Apparat! (*Hold the line!*)
Wer ist am Apparat? (*Who is speaking?*)
Warum rufst du nicht an, (an)statt einen langen Brief zu schreiben.
Können Sie mich bitte mit Hamburg verbinden?
Sie haben mich falsch verbunden.
Wir können gut/ schlecht von hier aus telefonieren.

In the shop Im Laden

52

service	der Dienst -e	stock, lead	führen
counter	der Ladentisch -e	serve	dienen (D)
supermarket	der Supermarkt ̈e	replace	ersetzen
article	der Artikel -	pack up	ein-packen
shop assistant	der Verkäufer -	deliver	liefern
manager	der Geschäftsführer -	shop, buy	ein-kaufen
self-service shop	der Selbstbedie- nungsladen ̈	complain of	sich beschweren über (A)
customer	der Kunde -n/-n	be right	recht haben
brand, make	die Marke -n	call, name	nennen (nannte,
goods	die Ware -n		genannt)
selection, choice	die Auswahl -en	enter	betreten (-tritt, a, e)
box office, 'desk'	die Kasse -n	take with one	mit-nehmen (nimmt, a,
quality	die Qualität -en		-genommen)
sum	die Summe -n	(dis)satisfied	(un)zufrieden
shop assistant	die Verkäuferin -nen	extreme(ly)	äußerst
customer	die Kundin -nen		
madam	gnädige Frau		

Wie lange haben Sie/ hat die Verkäuferin heute Dienst?
Das nenne ich Dienst am Kunden!
Ich will heute einkaufen gehen (*go shopping*).
Das Geschäft hat eine sehr gute Auswahl.
Man kann dort billig einkaufen.
Das ist der äußerste (*highest*) Preis, den ich dafür zahlen kann.
Womit kann ich Ihnen dienen, gnädige Frau? (*Can I help you, madam?*)
Ich möchte gern ein Kilo Fleisch/ zwei Kilo Kartoffeln/ zwei Pfund Zucker/
    ein halbes Pfund Tee/ ein Viertelpfund Butter.
Packen Sie mir das ein, bitte!
Soll ich noch einen Bindfaden um das Paket binden?
Zahlen Sie bitte an der Kasse!
Geben Sie mir zwei Stück davon/ zwei Scheiben davon/ ein Kilo davon/ zwei
    Dutzend Eier/ zwei Flaschen Milch!
Wieviel macht das? (*What does it come to?*)
Was kostet das? Was kosten die Eier? Was kosten die Eier das Stück (*each*)?
    Was kostet das Fleisch das Kilo? Was kostet die Butter das Pfund?
Haben Sie noch mehr davon? (*Have you any more of it/ them?*)
Soll ich die Rechnung für alles/ für die Sachen jetzt gleich bezahlen?
Wollen Sie die Sachen gleich mitnehmen, oder sollen wir Ihnen das alles
    schicken?
Sie hat sich beim (*to the*) Geschäftsführer über schlechte Bedienung/ über die
    schlechte Qualität der Waren beschwert.
Der Kunde hat immer recht.
Ich betrete nie wieder Ihr Geschäft!
Diesen Artikel/ Diese Waren führen/ verkaufen wir nicht.
Als Verkäuferin muß sie alle Preise im Kopf haben/ auswendig wissen.
Brot und Milch werden bei uns in England ins Haus geliefert.
Das ist aber eine große Summe Geld!

Dealers and shops (i) Händler und Läden (i)

53

(fruit) juice	der Saft ⁝e	sausage	die Wurst ⁝e
dealer,	der Händler -	tart, cake	die Torte -n
tradesman		baker's	die Bäckerei -en
baker	der Bäcker -		⎧ die Fleischerei
	⎧ der Fleischer -	butcher's	⎨ die Schlachterei
butcher	⎨ der Schlachter -		⎩ die Metzgerei
	⎩ der Metzger -	confectioner's	die Konditorei
confectioner	der Konditor -en	grocer's	das Lebensmittel-
grocer	der Kauf-mann		geschäft -e
	-leute	dairy	das Milchgeschäft
greengrocer	der Gemüsehändler	lamb	das Lamm ⁝er
fruiterer	der Obsthändler	veal	das Kalbfleisch
fishmonger	der Fischhändler	beef	das Rindfleisch
cake	der Kuchen -	pork	das Schweinefleisch
label, slip	der Zettel -	mutton	das Hammelfleisch
ham	der Schinken		
		save	sparen
		step, enter,	(*)treten (tritt,
		tread	a, e)

Der Bäcker verkauft Brot/ Weißbrot/ Schwarzbrot (*rye bread*)/ Brötchen.
Wir kaufen Fleisch beim Fleischer, Kuchen und Torten beim Konditor.
Wir bekommen Milch/ Butter/ Käse im Milchgeschäft.
Wir kaufen Speck, Schinken und Wurst beim Fleischer/ Metzger/ Schlachter.
Der Kaufmann ist sehr dick, er wiegt mehr als 85 Kilo.
Soll ich die Birnen wiegen?
Wenn Sie zwei Pfund davon kaufen, sparen Sie 15 Pfennig.
Was steht auf dem Zettel?—Fünf Mark.
Jemand hat mir auf den Fuß getreten.
Bitte treten Sie hier ans Fenster, dann können Sie die Farbe richtig sehen.

Dealers and shops (ii)   Händler und Läden (ii)

54

hairdresser	der Frisör -e	prescription	das Rezept -e
volume	der Band ⸚e	work	das Werk -e
pharmacist	der Apotheker -	shop window	das Schaufenster -
bookseller	der Buchhändler -	pattern	das Muster -
florist	der Blumenhändler	ribbon	das Band ⸚er
tailor	der Schneider -	iron	das Eisen
shoemaker	der Schuhmacher -		
retail chemist	der Drogist -en/-en	repair	reparieren
		exhibit, display	aus-stellen
pill	die Pille -n		
tablet	die Tablette -n	separate(ly)	einzeln
chemist's	die Apotheke -n	complete	sämtlich
bookshop	die Buchhandlung	other	ander-
	-en	etc.	und so weiter
florist's	die Blumenhand-		
	lung	as soon as	sobald
haberdashery	die Kurzwaren-		
	handlung		
ironmonger's	die Eisenwaren-		
	handlung		
retail chemist's	die Drogerie		

In der Apotheke kaufen wir die Arznei, die der Arzt verschrieben (*prescribed*) hat/ für die der Arzt uns ein Rezept gegeben hat.

In der Drogerie kauft man Seife, Zahnpaste, Zahnbürsten, gewöhnlich auch Filme und Farbfilme usw (= und so weiter).

Sie muß morgen zum Frisör/ Schneider/ in die Apotheke gehen.

Er war beim Frisör; er hat sich die Haare schneiden lassen.

In dieser Buchhandlung kann man Goethes sämtliche Werke einzeln kaufen.

Ich habe heute beim Buchhändler Goethes Werke in zwanzig Bänden gekauft.

In der Kurzwarenhandlung an der Ecke können wir bunte Bänder kaufen.

Im Schaufenster waren allerlei Waren ausgestellt.

Gibt es noch andere Muster in dieser Farbe?

Sobald der letzte Band kommt, lassen Sie es mich bitte wissen.

Ich fand einen schönen Rest Seide, genug für eine Bluse.

Newspapers and magazines
Zeitungen und Zeitschriften

55

report	der Bericht -e	report (on)	berichten (über + A)
influence	der Einfluß ⸚(ss)e	exert	aus-üben
impression	der Eindruck ⸚e	(influence)	
leading	der Leitartikel -	fight	kämpfen
article		mention	erwähnen
journalist	der Journalist -en/-en	print	drucken
newspaper	die Zeitung -en	illustrate	illustrieren
magazine,	die Zeitschrift -en	believe	glavben
journal			
advertise-	die Anzeige -n	appear	*erscheinen (ie, ie)
ment		invent	erfinden (a, u)
source	die Quelle -n	take place	statt-finden (a, u)
experience	die Erfahrung -en	contain	enthalten (ä, ie, a)
effect	die Wirkung -en	experience,	erfahren (ä, u, a)
line	die Zeile -n	learn	
headline	die Schlagzeile	daily	täglich
column	die Spalte -n	weekly	wöchentlich
freedom	die Freiheit -en	monthly	monatlich
press	die Presse	yearly,	jährlich
event	das Ereignis -se	annual(ly)	
public	das Publikum	sure, reliable	sicher

Diese Zeitung erscheint täglich/ wöchentlich.

Diese Zeitung ist eine Ausnahme; in der Regel (*as a rule*) kann man selten glauben, was in einer Zeitung gedruckt wird.

Alles, was in dieser Zeitung/ diesem Blatt (*paper*) steht, ist frei/ ist von A bis Z erfunden.

Der Journalist muß für seine Zeitung Artikel/ Berichte über die Tagesereignisse schreiben.

Sobald er etwas Interessantes erfährt, berichtet er darüber.

Er hat es aus guter/ sicherer Quelle erfahren.

Er hat diese Nachricht (*item of news*) aus guter/ sicherer Quelle.

Die neuesten (*latest*) Nachrichten finden Sie auf der ersten Seite.

Man hat lange für die Freiheit der Presse kämpfen müssen.

Die Presse übt einen großen Einfluß auf das Publikum aus.

Dieser Leitartikel hat großen Eindruck auf uns alle gemacht/ blieb ganz ohne Wirkung.

Fast alle Zeitungen enthalten viele kleine Anzeigen.

Es gibt viele Leute, die nur die Schlagzeilen einer Zeitung lesen.

Schreib mir ein paar Zeilen! (*Drop me a line.*)

Es gibt viele Illustrierte/ viele illustrierte Zeitungen/ viele illustrierte Zeitschriften in Deutschland.

Books Bücher

56

novel	der Roman -e	achieve	leisten
detective novel	der Kriminalroman	value, estimate, esteem	schätzen
writer	der Schriftsteller -	incline, tend	neigen
poet	der Dichter -	acknowledge	an-erkennen
artist	der Künstler -		(erkannte,
contemporary	der Zeitgenosse -n/-n		-erkannt)
average	der Durchschnitt	consider as	halten (ä, ie, a)
art	die Kunst ¨e		für
deed, act	die Tat -en	read out	vor-lesen (ie, a, e)
fact	die Tatsache -n	poor	arm
idea	die Idee -n	rich	reich
plot, action	die Handlung -en	complicated	kompliziert
invention	die Erfindung -en	artistic	künstlerisch
detail	die Einzelheit -en	lively	lebendig
tale, story	die Erzählung -en	exciting	spannend
kind, way	die Art -en	outstanding	hervorragend
literature	die Literatur -en	at least	wenigstens
translation	die Übersetzung -en	really, as a matter of fact	tatsächlich
work of art	das Kunstwerk -e		
region, field, sphere	das Gebiet -e		
poem	das Gedicht -e		
play	das Stück -e		

Der Schriftsteller hat Romane/ Kriminalromane geschrieben, die weit/ wenigstens über dem Durchschnitt stehen.

Im Durchschnitt (*on the average*) schreibt er einen erfolgreichen Roman im Jahr.

Die jungen Dichter lieben es, ihre Gedichte vorzulesen.

Seine Bücher sind sehr einfach/ lebendig/ spannend geschrieben.

Ich halte ihn für einen hervorragenden Künstler/ Dichter/ Schriftsteller/ Romanschriftsteller.

Er ist arm/ reich an Erfahrung/ Ideen (*lacking in/ overflowing with*).

Sein letzter Roman ist ein ausgezeichnetes Buch.

Ich ziehe diese Art Roman vor.

Das ist ein Roman/ ein Stück bester Art.

Die (Art und) Weise, in der/ wie er schreibt ist sehr kompliziert/ spannend.

Er neigt dazu/ ist geneigt, sich in Einzelheiten zu verlieren (*get bogged down in*).

Die Handlung ist seine eigene Erfindung.

Was er auf dem Gebiet der Kunst/ Musik geleistet hat, kann man nicht hoch genug schätzen/ ist ganz hervorragend.

Ich könnte stundenlang seinen Erzählungen/ Gedichten zuhören.

Er ist tatsächlich/ in der Tat (*indeed*) ein hervorragender Schriftsteller.

Tatsache bleibt, daß er bisher keinen spannenden Roman geschrieben hat.

Theatre and concerts   Theater und Konzerte

57

beginning	der Beginn -e	concert(o)	das Konzert -e
entrance	der Eingang ⁚e	play	das Schauspiel -e
exit	der Ausgang ⁚e	playing,	das Spiel
actor	der Schauspieler -	acting	
spectator	der Zuschauer -	orchestra	das Orchester -
singer	der Sänger -	occupy	besetzen
musician	der Musiker -	admire	bewundern
composer	der Komponist -en/-en	clap	klatschen
conductor	der Dirigent -en/-en	applaud	applaudieren
applause	der Beifall	compose	komponieren
perform-ance	die Vorstellung -en	conduct	dirigieren
part, role	die Rolle -n	get, receive	erhalten (ä, ie, a)
stage	die Bühne -n	watch	zu-sehen (ie, a, e)
interval	die Pause -n		(D)
refresh-ment	die Erfrischung -en	please	gefallen (ä, ie, a) (D)
actress	die Schauspielerin -nen	(un)popular	(un)beliebt
singer	die Sängerin -nen	enthusiastic	begeistert
ticket	die Karte -n	brilliant(ly)	glänzend

Der Beginn/ Anfang der Vorstellung ist um 8 Uhr.
Heute ist eine geschlossene (*private*) Vorstellung.
Nach/ Vor der Vorstellung treffen wir uns draußen vor dem Theater/ an der Kasse.
Hier ist der Eingang. Das dort ist der Ausgang.
Das Stück/ Konzert hat mir gut gefallen (*I liked* . . .).
Das Stück ist sehr gut besetzt (*has a very good cast*).
Alle Plätze im Theater/ Konzert waren besetzt.
In der Pause kann man Erfrischungen bekommen.
Die Zuschauer sahen begeistert zu.
Das Publikum hörte begeistert zu.
Im Theater/ Kino darf nicht geraucht werden.
Karten für das Schauspiel/ das Konzert/ den Film erhält man an der Kasse.
Der Komponist hat sein eigenes Konzert dirigiert.
Wagner hat viele Opern komponiert.
Diese Schauspielerin ist sehr jung zur Bühne gegangen.
Wir bewunderten das Spiel des Schauspielers/ des Musikers.
Sie spielte diese Rolle glänzend und hatte großen Beifall.
Ihr Erfolg als Schauspielerin ist ihr zu Kopf gestiegen.
Nach dem Konzert wurde stark geklatscht/ lange applaudiert/ lange Beifall geklatscht (*applauded*).

The zoo Der Zoo

58

stag	der Hirsch -e	camel	das Kamel -e
cage	der Käfig -e	horn	das Horn ∺er
entry	der Eintritt -e	mouth (of	das Maul ∺er
wolf	der Wolf ∺e	some	
fox	der Fuchs ∺e	animals)	
tiger	der Tiger -	food	das Futter
eagle	der Adler -	be glad	sich freuen
keeper	der (Tier)Wärter -	suit	passen (D)
trunk (of	der Rüssel -	dash, plunge	sich stürzen
elephant)			
bear	der Bär -en/-en	ride (animal)	(*)reiten (ritt,
lion	der Löwe -n/-n		geritten)
elephant	der Elefant -en/-en	tear (to	zerreißen (i, i)
ape	der Affe -n/-n	pieces)	
zoo	der Zoo -s	devour	verschlingen
snake	die Schlange -n		(a, u)
claw	die Kralle -n	wild	wild
mane	die Mähne -n	tame	zahm
admission	die Eintrittskarte -n	huge	ungeheuer groß
ticket		up and down	auf und ab
prey, booty	die Beute		

Paßt es dir, wenn wir die Kinder heute in den Zoo mitnehmen/ wenn wir heute in den Zoo gehen?
Die Kinder freuten sich, daß sie zum Zoo gehen durften.
Der Eintritt kostet nicht viel, Kinder zahlen nur den halben Preis/ die Hälfte.
Der Tiger geht die ganze Zeit im Käfig auf und ab.
Die Kinder sehen begeistert zu, wie die Wärter die Bären füttern.
Wir durften auf dem Kamel reiten.
Der Elefant ist ungeheuer groß und hat eine sehr dicke Haut.
Die wilden Tiere stürzen sich auf das Fleisch/ ihr Futter und zerreißen es in kleine Stücke.
Mit ausgebreiteten Flügeln stürzte sich der Adler auf seine Beute.
Der Adler hält seine Beute in den Krallen.
Der Zoo hat den Kindern sehr gut gefallen.

Sport and games Sport und Spiele

59

prize	**der Preis -e**
cup, trophy	**der Pokal -e**
difference	**der Unterschied -e**
ball	**der Ball ⁻e**
football	**der Fußball**
playing field	**der Spielplatz ⁻e**
reason	**der Grund ⁻e**
ski	**der Ski -er**
sport	**der Sport -arten**
wintersports	**der Wintersport**
prospect, view	**die Aussicht -en**
team, crew	**die Mannschaft -en**
eleven	**die Elf -en**
condition	**die Bedingung -en**
athletics	**die Leichtathletik**
football match	**das Fußballspiel -e**
goal (football)	**das Tor -e**
winning post, goal	**das Ziel -e**

practise	**üben**
achieve	**leisten**
sail	**(*)segeln**
win (*intr.*)	**siegen**
repeat	**wiederholen**
belong (to s.th.)	**gehören (zu)**
gather	**(sich) versammeln**
run	***laufen** (äu, ie, au)
jump	***springen** (a, u)
shoot	**schießen** (o, o)
win	**gewinnen** (a, o)
negligible	**gering**
drawn	**unentschieden**
magnificent(ly)	**großartig**

Ich laufe gern Ski, mein Bruder spielt lieber Fußball.
Er treibt nicht gern Sport, er sieht lieber zu.
Viele haben dem Fußballspiel zugesehen.
Wann findet das Fußballspiel statt?
Mit dem letzten Tor hat er das Spiel unentschieden gemacht.
Wir haben zwei zu null/ mit 2 : 0 Toren gesiegt.
Sie haben alle großartig gespielt.
Er gehört zur ersten Mannschaft.
Er hat ein Tor geschossen.
Die Mannschaft hat den Pokal/ den Preispokal gewonnen.
Er gewann das Spiel/ den ersten Preis.
Er hat viel/ wenig geleistet.
Es ist doch ganz großartig, was heute in der Leichtathletik/ auf dem Gebiet
    der Leichtathletik geleistet wird.
Das Pferd lief als zweites durchs Ziel.
Beim Reiten ist er vom Pferd gestürzt und hat sich schwer (*seriously*) verletzt.
Schwimmen/ Reiten/ Segeln soll sehr gesund sein.
Ob die Mannschaft wohl ihren Erfolg wiederholen kann?
Nur unter (*on*) dieser Bedingung kann ich es machen.
Aus diesem Grund sind die Aussichten für nächstes Jahr/ übernächstes Jahr
    (*the year after next*) vielversprechend (*promising*).
Der Unterschied zwischen dem Besten und dem Zweitbesten ist sehr gering.
Viele Zuschauer hatten sich auf dem Platz versammelt.

Traffic   Der Verkehr

60

pavement	der Bürgersteig -e	queue	die Schlange -n
(bus)ticket	der Fahrschein -e	motorway	die Autobahn -en
bus	der (Omni)Bus -se		die Straßenbahn -en
accident	der Unfall ⏜e	tram	die Elektrische
road acci-	der Verkehrsunfall		(adj.)
dent		bicycle	das Fahrrad ⏜er
conductor,	der Schaffner -	motor cycle	das Motorrad ⏜er
guard		motor	das Moped -s
zebra	der Zebrastreifen -	scooter	
crossing			
lorry	der Lastwagen -	regulate	regeln
pedestrian	der Fußgänger -	overtake	überholen
policeman	der Polizist -en/-en	go, drive	(*)fahren (ä, u, a)
	der Schutz-mann	run over	überfahren
	-leute	get in/ on	*ein-steigen
traffic	der Verkehr		(ie, ie)
surface	die Oberfläche -n	get out/off	*aus-steigen
(bus)stop	die Haltestelle -n	to/ on the	(nach) rechts
traffic light	die Verkehrsampel -n	right	
traffic jam	die Verkehrsstockung	to/ on the left	(nach) links
	-en	constant(ly)	ständig
stretch,	die Strecke -n		
distance			
crossroads,	die (Straßen)Kreu-		
crossing	zung -en		

Die Verkehrspolizisten regeln den Verkehr auf der Straße.
An den wichtigsten/ gefährlichsten Straßenkreuzungen gibt es Verkehrsampeln.
An den Haltestellen muß man oft Schlange stehen (*queue up*).
Hier steigt man aus und ein.
Wenn zu viele Autos auf der Straße sind, gibt es eine Verkehrsstockung.
Wenn sich ein Fußgänger auf dem Zebrastreifen befindet, muß das Auto
halten.
Fußgänger gehen auf dem Bürgersteig/ über die Straße.
In Deutschland fährt man rechts und überholt links.
Wenn man nicht gut aufpaßt, kann man leicht einen Unfall/ Verkehrsunfall
haben/ leicht überfahren werden.
Wir sind mit dem Auto gefahren/ gekommen.
Mein Bruder hat noch nicht fahren gelernt.
Mein Vater hat den Wagen/ das Auto selbst gefahren.
Der Verkehr auf der Autobahn wächst ständig/ hat stark zugenommen/ hat
kaum abgenommen.
Die Oberfläche der Straße ist heute morgen sehr glatt (*slippery*).
Die Strecke hier ist gefährlich.
„(Sonst) noch jemand ohne Fahrschein, bitte?" fragt der Schaffner.

Driving lessons Fahrstunden

tank	der Tank -e	petrol	das Benzin -e
driving licence	der Führerschein -e	prohibition	das Verbot -e
gear	der Gang ⸚e	steering-wheel	das Lenkrad ⸚er
boot	der Kofferraum ⸚e		
driver	der (Auto)Fahrer -		
passenger (car)	der Beifahrer -	dazzle	blenden
		fill	füllen
tyre	der Reifen -	fill up (with petrol)	tanken
head-light	der Scheinwerfer -		
protection	der Schutz	steer	lenken
		change gear	schalten
curve	die Kurve	check, test	prüfen
filling-station	die Tankstelle -n		
driving school	die Fahrschule -n	bend, turn	(*)biegen (o, o)
driving lesson	die Fahrstunde -n	turn off (intr.)	*ab-biegen
driving test	die Fahrprüfung -en		
wind-screen	die Windschutz-scheibe -n	technical(ly)	technisch
		automatic (ally)	automatisch
speed	die Geschwindigkeit		
speed limit, maximum speed	die Höchstgeschwin-digkeit	until	bis
right of way	die Vorfahrt		

Wenn man fahren lernen will, muß man in eine Fahrschule gehen und
Fahrstunden nehmen.

Bis man die Prüfung bestanden hat, muß man immer einen Beifahrer haben.

Er hat schon vor drei Jahren seinen Führerschein gemacht (*took his driving test*).

In Deutschland muß der Autofahrer auch einige technische Kenntnisse haben.

Wir haben eben einen Wagen gekauft, eine ganz neue Marke.

In einem offenen Wagen hat man sehr wenig Schutz vor dem Wind.

Der Kofferraum ist nicht sehr groß, aber man sitzt sehr bequem.

Vorsicht! Sie müssen besonders gut aufpassen, wenn Sie in Deutschland links
überholen/ links abbiegen wollen/ um die Ecke biegen.

Hier darf nicht überholt werden. Hier ist Überholverbot (*no overtaking*).

Bevor man eine längere Reise macht, muß man Wasser, Benzin, Öl und die
Reifen prüfen lassen.

Sie müssen lernen, ganz automatisch zu schalten.

Wir fahren jetzt im ersten/ zweiten/ dritten/ vierten Gang.

Ich muß tanken. Wo ist die nächste Tankstelle? An der nächsten Ecke.

Füllen Sie den Tank, bitte.

Die Windschutzscheibe ist sehr schmutzig. Sie muß gewaschen werden.

Wer hat Vorfahrt? Er oder ich?

Auf den deutschen Autobahnen gibt es keine Höchstgeschwindigkeit.

Vorsicht! Kurve!

Der Scheinwerfer des vorbeifahrenden (*passing*) Autos hat mich geblendet.

A car accident Ein Autounfall

62

private car	der Personenwagen -	kill	töten
mechanic	der Mechaniker -	burst (tyre)	*platzen
death	der Tod -esfälle	happen	*passieren
dead man	der Tote (*adj.*)	brake	bremsen
breakdown	die Panne -n	prevent	verhüten
puncture	die Reifenpanne	meet with accident	*verunglücken
repair	die Reparatur -en		
car repairs, repair shop	die Autoreparatur	recognise	erkennen (-kannte, -kannt)
brake	die Bremse -n	die	*um-kommen
help, aid	die Hilfe -n		(kam, o)
spare part	das Ersatzteil -e	fatal	tödlich
signal, sign	das Zeichen -	(in)visible	(un)sichtbar
traffic, sign	das Verkehrszeichen	(im)possible	(un)möglich
victim, sacrifice	das Opfer -	complete(ly)	völlig
wheel	das Rad ¨er	sudden(ly)	plötzlich
spare wheel	das Ersatzrad	drunk	betrunken
misfortune, accident	das Unglück	out of order, wrecked	kaputt
		recently	kürzlich

Wo/ Wie ist der Autounfall passiert?
Er hat Gas gegeben (*put his foot on the accelerator*), statt zu bremsen.
Bei diesem Autounfall gab es viele Tote und Verletzte (*injured*).
Der Autofahrer war sichtbar betrunken.
Bei diesem Unfall/ Unglück fand er den Tod/ kamen viele um.
Der Unfall/ Das Unglück kostete viele Opfer.
Man leistete dem Verletzten/ dem Verunglückten Erste Hilfe.
Der Wagen ist völlig kaputt. Es ist nicht mehr möglich, ihn zu reparieren/ ihn
reparieren zu lassen (*get it repaired*).
Sind wir von der nächsten Stadt sehr weit entfernt?—Nein, sie ist ganz nah.
Kann man dort Ersatzteile für diese Automarke bekommen?
Er hätte ein Zeichen geben sollen (*should have given*), daß er links/ rechts
abbiegen wollte.
Es passierte so plötzlich, daß er nicht einmal bremsen konnte.
Ich glaube nicht, daß er den Unfall hätte verhüten können (*could have
prevented*).
Bei (*in*) diesem Licht sind viele Autos, besonders die grauen, schlecht zu
erkennen.
Rot und Gelb sind viel sichtbarere Farben als Blau und Grau.
Ein Reifen ist geplatzt.
Ich habe eine Reifenpanne. Können Sie mir bitte helfen, das Rad zu wechseln?
Mein Wagen ist schon wieder kaputt (*out of order*). Ich muß ihn reparieren
lassen/ den Mechaniker kommen lassen (*send for*).
Wie lange wird die Reparatur dauern (*take*)?
Ich habe meinen Führerschein zu Hause gelassen.
Laß den Wagen hier stehen!
Erst kürzlich haben wir von dem Unfall gehört.

Travel   Reisen

train	der Zug ⁐e	destination	das Reiseziel -e
fast train	der Schnellzug	enquiry office	das Auskunftsbüro -s
express train	der D-Zug	travel agency	das Reisebüro -s
extra charge	der Zuschlag ⁐e	abroad	das Ausland
connection	der Anschluß ⁐(ss)e		
ticket office	der Fahrkarten-	pack	packen
	schalter -	buy (ticket)	lösen
		travel	*reisen
arrival	die Ankunft ⁐e	make en-	sich erkundigen
information	die Auskunft ⁐e	quiries	nach (D)
world	die Welt -en	about	
journey	die Reise -n	look forward	sich freuen auf (A)
voyage	die Seereise	to	
package tour	die Gesellschafts-		
	reise	start (journey)	an-treten
departure	{ die Abreise		(tritt, a, e)
	{ die Abfahrt -en	change (trains)	*um-steigen
ticket	die Fahrkarte -n		(ie, ie)
return ticket	die Rückfahrkarte	there and	hin und zurück
preparation	die Vorbereitung -en	back	
list	die Liste -n	yet, however	doch
(hat) box, case	die Schachtel -n		

Reisen kostet Geld, doch sieht man die Welt (prov.).
Er wünschte mir gute/ angenehme Reise.
Wenn man reisen will, geht man zuerst zum Reisebüro, wo man Auskunft erhält.
Man erkundigt sich nach der Abfahrt und Ankunft der Züge/ wo man umsteigen muß/ ob man einen guten Anschluß hat/ ob man Plätze belegen kann.
Eine Gesellschaftsreise ins Ausland ist viel billiger, als wenn man allein reist.
Er lebt schon lange im Ausland.
Man kann seine Fahrkarte auf dem Bahnhof am Fahrkartenschalter lösen.
Bitte, eine Fahrkarte erster/ zweiter Klasse (G) nach Berlin.
Wollen Sie eine Fahrkarte hin und zurück? Ja bitte, eine Rückfahrkarte.
Man packt seine Koffer am besten am Abend vor der Abfahrt/ Abreise.
Man macht eine Liste der Sachen, die man auf die Reise mitnehmen will.
Wir müssen jetzt unsere Vorbereitungen treffen (make).
Wir freuen uns auf die Reise dorthin.
Wir freuen uns darauf, wieder in Hamburg zu sein.
Wenn man mit einem D-Zug fahren will, muß man Zuschlag bezahlen.
Wir werden erst am Abend an unserem Reiseziel ankommen.

At the station Auf dem Bahnhof

64

kiosk	der Kiosk -e
stop, stay	der Aufenthalt -e
platform	der Bahnsteig -e
corner seat	der Eckplatz ⸚e
time-table	der Fahrplan ⸚e
waiting-room	der Warte-saal -säle
coach	der Wagen -
dining car	der Speisewagen
sleeping car	der Schlafwagen
station-master	der Stationsvor-
	steher -
porter	der Gepäckträger -
official	der Beamte (*adj.*)
crowd	die Menge -n
railway	die (Eisen)Bahn -en
small station	die Station -en
barrier	die Sperre -n
journey, run, drive	die Fahrt -en

luggage rack	das (Gepäck)Netz -e
compartment	das Abteil -e
smoking com- partment	das Raucherabteil
non-smoking compartment	das Nichtraucher- abteil
taxi	das Taxi -s
mistake	das Versehen
wait (for)	warten (auf+A)
catch (train)	erreichen
miss (train)	verpassen
show (ticket)	vor-zeigen
raise	heben (o, o)
consult	nach-sehen (ie, a, e)
in time	rechtzeitig
long since	längst

Wir müssen rechtzeitig zum Bahnhof gehen, sonst erreichen wir den Zug nicht.
Wir wollen ein Taxi zum Bahnhof nehmen.
Eine große Menge Leute stand(en) schon auf dem Bahnsteig.
Der Gepäckträger fragt, mit welchem Zug wir fahren wollen.
Er wird den Koffer auf den Bahnsteig/ zum Zug tragen.
Bevor ich auf den Bahnsteig gehe, kaufe ich eine Zeitung für mich und eine
Zeitschrift für meine Frau/ muß ich die Fahrkarten an der Sperre vorzeigen.
Auf dem Bahnsteig warten wir noch ein paar Minuten auf den Zug.
Wenn der Zug am Bahnsteig hält, steigen wir ein.
Ich suche ein Raucherabteil/ Nichtraucherabteil/ einen Eckplatz.
Der Gepäckträger legt alle Koffer/ das ganze Gepäck ins Gepäcknetz.
Er bekommt für zwei Stück Gepäck eine Mark achtzig.
Im Abteil sind alle vier Eckplätze belegt.
Wenn man umsteigen muß und lange Aufenthalt hat, kann man im Wartesaal
Erfrischungen bekommen.
Der Stationsvorsteher hob den Arm und gab das Zeichen zur Abfahrt.
Der Schaffner fragt nach unseren Fahrkarten.
Er sieht im Fahrplan nach, wo wir Anschluß nach Mainz haben.
Wir fahren mit dem Zug/ mit der Bahn nach Köln (*Cologne*).
Aus Versehen (*by mistake*) ist er in den falschen Zug eingestiegen.
Er hat gerade noch (*just*)/ (gerade) im letzten Augenblick den Zug erreicht.
Der Zug steht schon längst im Bahnhof.

Aeroplane and boat   Flugzeug und Schiff

ocean	der Ozean -e	ship, boat	das Schiff -e
quay	der Kai -e *or* -s	(aero)plane	das Flugzeug -e
customs	der Zoll ⸚e		
passport	der Paß ⸚(ss)e	save, rescue	retten
flight	der Flug ⸚e	pay duty on	verzollen
passenger	{ der Passagier -e	start	(*)starten
	der Fahrgast ⸚e	land	*landen
plane	der Fluggast ⸚e	dock, land	an-legen
passenger		check, inspect	kontrollieren
steamer	der Dampfer -	sink	*sinken (a, u)
liner	der Ozeandampfer		
harbour	der Hafen ⸚	hourly	stündlich
airport	der Flughafen	regular(ly)	regelmäßig
customs	der Zollbeamte	seasick	seekrank
officer	(*adj.*)	direct(ly)	direkt
crossing	die Überfahrt -en	in case	falls
frontier	die Grenze -n	provided that	vorausgesetzt,
landing	die Landung -en		daß
intermediate	die Zwischen-		
stop	landung		

Er macht eine Reise mit der Eisenbahn/ mit dem Dampfer/ mit dem Schiff/ zu Schiff/ mit dem Flugzeug/ im Flugzeug.

Der Dampfer/ Der Zug/ Das Schiff fährt ab (*starts, leaves*).

Das Flugzeug startet regelmäßig täglich um 10 Uhr.

Wir landen um 12; das Schiff legt am Kai Nummer 5 an.

Das Flugzeug landet auf dem Flughafen/ glatt (*safely*) am Ziel/ machte eine glatte (*safe*) Landung.

Vor der Überfahrt müssen die Koffer den Zollbeamten am Zoll vorgezeigt werden.

Der Zollbeamte fragt: „Haben Sie etwas zu verzollen?"

Auf der Fahrt/ Überfahrt/ Seereise war er seekrank.

Das Gepäck/ Der Paß wird an der Grenze kontrolliert.

Man fliegt ohne Zwischenlandung (*non-stop*) nach Wien.

Das Meer war so glatt wie ein Spiegel.

Vorausgesetzt, daß das Flugzeug pünktlich ankommt, erreichen wir unseren Anschluß.

Falls das Flugzeug Verspätung hat, rufen wir euch an.

Bevor das Schiff sank, waren alle Passagiere gerettet worden.

Continents and countries (i)
Erdteile[1] und Länder[1] (i)

66

Africa	**Afrika**	Eire	**die Irische Republik**
America	**Amerika**	England	**England**
Argentina	**Argentinien**	Finland	**Finnland**
Asia	**Asien**	France	**Frankreich**
Australia	**Australien**	German	**die Deutsche Demo-**
Austria	**Österreich**	Democratic	**kratische**
Bavaria	**Bayern**	Republic	**Republik**
Belgium	**Belgien**	German	**die Bundesrepublik**
Brasil	**Brasilien**	Federal	**Deutschland**
Bulgaria	**Bulgarien**	Republic	
Canada	**Kanada**	Germany	**Deutschland**
Carinthia	**Kärnten**	Great Britain	**Großbritannien**
China	**China**	Greece	**Griechenland**
Czechoslo-	**die Tschecho-**	Holland	**Holland**
vakia	**slowakei**	Hungary	**Ungarn**
Denmark	**Dänemark**	India	**Indien**
Egypt	**Ägypten**	Ireland	**Irland**

Wie heißen die Erdteile der Welt?

Asien ist der größte Erdteil.

Deutschland besteht aus zwei Teilen—der Bundesrepublik Deutschland (BRD) und der Deutschen Demokratischen Republik (DDR).

Die Bundesrepublik Deutschland besteht aus elf Ländern—Baden-Württemberg, Bayern, Berlin (West), Bremen, Hamburg, Hessen, Niedersachsen, Nordrhein-Westfalen, Rheinland-Pfalz, Saarland und Schleswig-Holstein.

Er wohnt in Frankreich/ in Bayern/ in der Tschechoslowakei/ in der DDR.

Er reist oft nach Dänemark/ in die Tschechoslowakei/ in die DDR.

Das moderne Frankreich gefällt mir nicht so sehr wie das alte.

[1] The names of continents and countries, unless otherwise indicated, are neuter and are then without the definite article, except when used with an adjective.

Continents and countries (ii)
Erdteile und Länder (ii)

57

Italy	Italien	Russia	Rußland
Japan	Japan	Saxony	Sachsen
Jugoslavia	Südslawien	Scotland	Schottland
The Netherlands	die Niederlande	South Africa	Südafrika
New Zealand	Neuseeland	South America	Südamerika
Nigeria	Nigeria	Spain	Spanien
North America	Nordamerika	Styria	die Steiermark
Northern Ireland	Nordirland	Sweden	Schweden
Norway	Norwegen	Switzerland	die Schweiz
Pakistan	Pakistan	Turkey	die Türkei
Poland	Polen	United States	die Vereinigten
Portugal	Portugal		Staaten
Prussia	Preußen	U.S.A.	die USA (*pl.*)
Rumania	Rumänien	U.S.S.R.	die UdSSR
		Wales	Wales

Man kann jetzt in wenigen Stunden in die Vereinigten Staaten/ in die USA
fliegen.
Viele reisen jedes Jahr nach Spanien/ nach Italien/ in die Schweiz/ in die
Steiermark.
Er wohnt schon seit sechs Jahren in der Schweiz/ in Schweden.
Italien ist das Reiseziel aller Kunstliebenden.
Italien ist sehr reich an wertvollen Kunstwerken.
Preußen und Sachsen sind keine Staaten mehr.

Towns, lakes, rivers and seas
Städte¹, Seen, Flüsse und Meere

68

Antwerp	**Antwerpen**	Liège	**Lüttich**
Athens	**Athen**	Lisbon	**Lissabon**
Berne	**Bern**	Milan	**Mailand**
Brunswick	**Braunschweig**	Moscow	**Moskau**
Brussels	**Brüssel**	Munich	**München**
Cologne	**Köln**	Naples	**Neapel**
Copenhagen	**Kopenhagen**	Nuremberg	**Nürnberg**
Edinburgh	**Edinburg**	Rome	**Rom**
Florence	**Florenz**	Venice	**Venedig**
Geneva	**Genf**	Vienna	**Wien**
Hanover	**Hannover**	Warsaw	**Warschau**

Lake Constance	**der Bodensee**	Atlantic	{ **der Atlantik** / **der Atlantische Ozean**
Lake of Geneva	**der Genfer See**	Pacific	{ **der Stille Ozean** / **der Große Ozean**
Main	**der Main**	English Channel	**der (Ärmel)Kanal**
Rhine	**der Rhein**	North Sea	**die Nordsee**
Danube	**die Donau**	Baltic	**die Ostsee**
Elbe	**die Elbe**	Mediter-	{ **das Mittelmeer** / **das Mittelländische**
Oder	**die Oder**	ranean	**Meer**
Seine	**die Seine**		
Thames	**die Themse**	Black Sea	{ **das Schwarze Meer** / **das Schwarzmeer**
Vistula	**die Weichsel**		
Weser	**die Weser**		

Welches ist die Hauptstadt Portugals/ von Portugal/ der Schweiz/ von der Schweiz?
Die Hauptstadt Portugals/ von Portugal ist Lissabon/ der Schweiz/ von der Schweiz ist Bern.
München ist die Hauptstadt Bayerns.
Das neue München ist wieder zu einer interessanten Stadt geworden.
Die Stadt Braunschweig ist jetzt viel größer geworden.
London liegt an der Themse/ Warschau liegt an der Weichsel/ Wien liegt an der Donau/ Köln liegt am Rhein/ Frankfurt liegt am Main.
Antwerpen und Hamburg sind große Hafenstädte.
Viele Leute verbringen ihre Sommerferien an der Ostsee/ am Bodensee/ an der Nordsee/ am Mittelmeer/ an der Küste des Mittelmeers.
Der Ärmelkanal/ Kanal trennt England von Frankreich.
Der Bodensee liegt zwischen Deutschland, Österreich und der Schweiz.

¹ The names of towns are neuter and are used without the definite article except when preceded by an adjective.

Inhabitants and languages
Einwohner und Sprachen

African	der Afrikaner -	die Afrikanerin -nen	afrikanisch
American	der Amerikaner -	die Amerikanerin	amerikanisch
Argentinian	der Argentinier -	die Argentinierin	argentinisch
Asian	der Asiat -en/-en	die Asiatin	asiatisch
Australian	der Australier -	die Australierin	australisch
Austrian	der Österreicher -	die Österreicherin	österreichisch
Belgian	der Belgier -	die Belgierin	belgisch
Brasilian	der Brasilianer -	die Brasilianerin	brasilianisch
Bulgarian	der Bulgare -n/-n	die Bulgarin	bulgarisch
Chinese	der Chinese -n/-n	die Chinesin	chinesisch
Czech	der Tscheche -n/-n	die Tschechin	tschechisch
Dane	der Däne -n/-n	die Dänin	dänisch
Dutchman	der Holländer -	die Holländerin	holländisch
Egyptian	der Ägypter -	die Ägypterin	ägyptisch

Englishman	der Engländer -	die Engländerin -nen	englisch
Finn	der Finne -n/-n	die Finnin	finnisch
Frenchman	der Franzose -n/-n	die Französin	französisch
German	der Deutsche (adj.)	die Deutsche (adj.)	deutsch
Greek	der Grieche -n/-n	die Griechin	griechisch
Hungarian	der Ungar -n/-n	die Ungarin	ungarisch
Indian	der Inder -	die Inderin	indisch
Irishman	der Ire -n/-n	die Irin	irisch
Italian	der Italiener -	die Italienerin	italienisch
Japanese	der Japaner -	die Japanerin	japanisch
New Zealander	der Neuseeländer -	die Neuseeländerin	neuseeländisch
Nigerian	der Nigerianer -	die Nigerianerin	nigerisch
Norwegian	der Norweger -	die Norwegerin	norwegisch

Pakistani	der Pakistaner -	die Pakistanerin -nen	pakistanisch
Pole	der Pole -n/-n	die Polin	polnisch
Portuguese	der Portugiese -n/-n	die Portugiesin	portugiesisch
Prussian	der Preuße -n/-n	die Preußin	preußisch
Rumanian	der Rumäne -n/-n	die Rumänin	rumänisch
Russian	der Russe -n/-n	die Russin	russisch
Saxon	der Sachse -n/-n	die Sächsin	sächsisch
Scotsman	der Schotte -n/-n	die Schottin	schottisch
South African	der Südafrikaner -	die Südafrikanerin	südafrikanisch
Spaniard	der Spanier -	die Spanierin	spanisch
Swede	der Schwede -n/-n	die Schwedin	schwedisch
Swiss	der Schweizer -	die Schweizerin	schweizerisch
Turk	der Türke -n/-n	die Türkin	türkisch
Welshman	der Waliser -	die Waliserin	walisisch

Er ist Deutscher/ Engländer von Geburt. Er ist geborener Deutscher/ Engländer.
Sie ist Deutsche/ Engländerin von Geburt. Sie ist geborene Deutsche/ Engländerin.
Die Einwohner der Türkei heißen Türken.
Kennst du die französische/ russische/ deutsche Literatur?—Nur in Übersetzung.
Wir lernen Deutsch. Er kann Deutsch. Er kann kein Deutsch.
Er spricht gut Deutsch. Spricht er deutsch? (*Is he speaking in German?*)
Er hat seine Rede auf deutsch/ in deutscher Sprache gehalten (*given*).
Er ist Professor für Deutsch/ Französisch/ Englisch.
Er hat in Deutsch/ im Deutschen eine gute Note (*good mark*) bekommen.
Er hat den Roman aus dem Englischen ins Deutsche/ Französische übersetzt.

A visit Ein Besuch

72

camera	der Fotoapparat -e
visit	der Besuch -e
farm	der Gutshof ⸚e
student	der Student -en/en
cause	die Ursache -n
invitation	die Einladung -en
delay	die Verspätung -en
order	die Ordnung -en
student	die Studentin -nen
camera	die Kamera -s
age	das Alter
fetch, meet	ab-holen
arrange (room)	ein-richten
fix, arrange	ab-machen
believe, think	glauben
cause	verursachen

bring with one	mit-bringen (brachte, -gebracht)
make welcome	gut auf-nehmen (nimmt, a, -genommen)
be sorry	leid tun (a, a) (D)
receive, welcome	empfangen (ä, i, a)
lend	leihen (ie, ie) (AD)
(im)polite	(un)höflich
rude	grob
cordial(ly)	herzlich
nice(ly)	nett
magnificent(ly)	herrlich
welcome	willkommen
fairly, rather	ziemlich
away	weg
even	sogar
perhaps	vielleicht

Wir hatten einen jungen Franzosen eingeladen, einen Monat bei uns auf unsrem Gutshof zu verbringen.
Er ist der Einladung gefolgt (*accepted*).
Wir freuen uns schon lange/ seit langem (*we have been looking forward for a long time now*) auf seinen Besuch.
Wir haben ihn vom Bahnhof abgeholt.
Wir wohnen fünf Kilometer vom Bahnhof entfernt.
Er ist pünktlich/ mit einer halben Stunde Verspätung angekommen.
Seien Sie herzlich willkommen!
Es tut mir leid, daß Sie an der Grenze Schwierigkeiten hatten.
Ohne alle Ursache hat man mir meinen Paß weggenommen.
Man glaubte zuerst, sein/ ihr Paß sei/ wäre nicht in Ordnung.
Er hat den Beamten nicht gut/ nur schwer verstehen können.
Der Zollbeamte war ziemlich grob/ nicht gerade/ nicht besonders höflich.
Das alles hat einen langen Aufenthalt/ viel Zeitverlust/ die Verspätung verursacht.
Er kann sehr gut/ nur wenig Deutsch.
Er ist in meinem Alter/ älter als ich/ jünger als ich/ nicht so alt wie ich.
Er studiert Geschichte und Deutsch an der Universität Straßburg.
Er ist Student/ Sie is Studentin.
Er sieht wie ein Franzose aus.
Er kommt/ geht zum ersten Mal ins Ausland.
Ich war schon mehrere Male im Ausland.
Wir hatten mit seinen Eltern abgemacht, daß er vielleicht Ende Juli/ Mitte August/ Anfang September kommen sollte.
Wir haben für ihn ein Zimmer im zweiten Stock sehr nett eingerichtet.
Wir mußten ihm Geld leihen, sonst hätte er seine Rückfahrkarte nicht bezahlen können.
Er kauft nie etwas, er leiht sich (D) (*borrows*) alles von uns/ von den Nachbarn.
Er ist sogar pünktlich angekommen!

70

The countryside Die Landschaft

73

place	**der Ort -e**	tent	**das Zelt -e**
mountain	**der Berg -e**	village	**das Dorf ¨er**
wide river	**der Strom ¨e**	valley	**das Tal ¨er**
brook	**der Bach ¨e**	the open	**das Freie** (*adj.*)
excursion	**der Ausflug ¨e**		
walk, stroll	**der Spaziergang ¨e**	walk, hike	***wandern**
hill	**der Hügel -**	rest	**sich aus-ruhen**
mountain top	**der Gipfel -**	go/lead past	**vorbei-führen**
ditch	**der Graben ¨**	stroll	***spazieren-gehen**
wood, forest	**der Wald ¨er**		**(ging, -gegangen)**
intention	**die Absicht -en**	go for a drive	***spazieren-fahren**
country-side, landscape	**die Landschaft -en**	flow	**(ä, u, a)** ***fließen** (o, o)
area, region	**die Gegend -en**	(un)known	**(un)bekannt**
bridge	**die Brücke -n**	along	**entlang**
road	**die Landstraße -n**	as far as	**soweit**
avenue	**die Allee -n**	(only a) few	**(nur) wenige**
island	**die Insel -n**		
hike	**die Wanderung -en**		

Wir gehen/ fahren jeden Abend im Wald/ durch den Wald/ durch die Wiesen spazieren.
Wir machen gern Ausflüge in die Berge.
Wir gehen ins Dorf/ ins Freie/ zum Teich/ zum See/ zum Fluß/ zum Bach.
Der Bach fließt langsam durch die Landschaft/ die Wiesen/ die Felder.
Wir hatten die Absicht/ hatten vor, einen Spaziergang ins Dorf zu machen.
Die schöne Allee führt zur Brücke, die über den Fluß geht.
Dort kann man über die Wiesen und Felder wandern.
Es sind viele Dampfer/ Schiffe/ Boote auf dem Strom/ auf dem See.
Die Autobahn führt an der Stadt vorbei.
Dieser Weg führt ins Tal/ zu einem sehr schönen Ort.
Der Fluß ist hier am breitesten/ am schmalsten/ am tiefsten.
Wir gingen am Fluß/ am Graben entlang.
Den Fluß entlang standen Bäume.
Wir fuhren/ gingen die ganze Straße (*the whole length of the street*) entlang.
Wir lagen am Fuße eines Baumes und ruhten uns aus.
Wir gingen/ stiegen den Berg langsam hinauf/ gingen bis zum Gipfel des Berges hinauf/ kamen schnell den Berg hinunter.
Soweit mir bekannt ist, gibt es nur wenige Dörfer in dieser Landschaft.
Wir wollen morgen den ganzen Tag im Freien verbringen/ wollen morgen im Freien/ im Zelt übernachten.

Points of the compass   Himmelsrichtungen

74

north	der Norden	northern	**nördlich**
south	der Süden	southern	**südlich**
east	der Osten	eastern	**östlich**
west	der Westen	western	**westlich**
north-east	der Nordosten	north-eastern	**nordöstlich**
south-west	der Südwesten	south-western	**südwestlich**

compass	**der Kompaß -(ss)e**	lose one's	**sich verlaufen (äu,**
circle	**der Kreis -e**	way	**ie, au)**
circumstance	**der Umstand ⸚e**	go round	***umher-laufen**
man, person,	**der Mensch -en/ -en**	take (path)	**ein-schlagen**
human being			**(ä, u, a)**
thought	**der Gedanke -ns/-n**	be about to	**im Begriff *sein**
courage	**der Mut**	opposite	**entgegengesetzt**
cottage, hut	**die Hütte -n**	terrible	**schrecklich**
sign, trace	**die Spur -en**	mere(ly)	**bloß**
direction	**die Richtung -en**		
		(to) nowhere	**nirgendwo(hin)**
mountains	**das Gebirge -**	(to) somewhere	**irgendwo(hin)**
luck, happi-	**das Glück**	somehow	**irgendwie**
ness		straight on	**geradeaus**
meet	***begegnen** (D)	fortunately	**glücklicherweise**
stir	**sich regen**	unfortunately	**leider**
		namely	**nämlich**

Irgendwie hatten wir den falschen Weg eingeschlagen.
Wir haben uns im Gebirge/ im Wald verlaufen.
Im Wald versuchten wir geradeaus zu gehen, liefen aber im Kreis herum.
Wir hätten nach Westen gehen sollen (*ought to have gone*).
Statt dessen (*instead of that*) sind wir in der entgegengesetzten Richtung
  gegangen, nämlich nach Osten.
Südlich des Waldes (*to the south of*)/ südlich von uns lag ein Dorf.
Nirgendwo war die Spur von einem Menschen.
Nichts regte sich im Walde.
Leider sind wir keinem Menschen begegnet, der uns den richtigen Weg hätte
  zeigen können (*could have shown*)/ den wir nach dem Weg hätten fragen
  können (*could have asked*).
Wir waren im Begriff, den Mut zu verlieren (*to lose heart*).
Der bloße Gedanke daran, daß wir dort würden übernachten müssen, war
  einfach schrecklich.
Unter diesen Umständen hatten wir Glück (*we were lucky*), endlich jemand zu
  finden, der uns helfen konnte.

Meetings and greetings
Begegnungen und Grüße

75

friend	der Freund -e	introduce	vor-stellen (AD)
farewell	der Abschied -e	greet	grüßen
greeting	der Gruß ̈e	bow	sich verbeugen
foreigner	der Ausländer -	take one's	sich verabschieden
comrade	der Kamerad -en/-en	leave	
acquaintance	der Bekannte (adj.)	make appointment	sich verabreden
stranger	der Fremde (adj.)		
thanks	der Dank	keep (appointment)	ein-halten (ä, ie, a)
request	die Bitte -n	happen	*geschehen
bow	die Verbeugung -en		(ie, a, e)
appointment	die Verabredung -en	go past	*vorbei-gehen
meeting	die Begegnung -en		(ging,
acquaintance	die Bekanntschaft -en		-gegangen)
recovery	die Erholung -en	send regards	grüßen lassen
improvement	die Besserung		(ä, ie, a)
friend	die Freundin -nen	(un)happy ⎫ (un)lucky ⎭	(un)glücklich
foreigner	die Ausländerin -nen	by chance	zufällig
pleasure	das Vergnügen	as arranged	wie verabredet

Darf ich Ihnen meinen Freund/ Bekannten/ Kameraden/ meine Mutter/ Bekannte/ Freundin/ Verlobte vorstellen?
Der Fremde/ Ausländer stellte sich uns vor.
Er nahm den Hut vor ihr ab.
Er machte eine tiefe/ leichte (slight) Verbeugung vor ihr.
Er verbeugte sich leicht.
„Vielen Dank!" sagte er.—„Bitte, gern geschehen!" (Don't mention it.)
Er wünscht Ihnen viel Vergnügen/ viel Glück/ gute Besserung/ glückliche Reise (a good journey).
„Guten Tag! Wie geht's Ihnen?" (How are you?)—„Danke, gut, und Ihnen?"
Ich habe gestern seine/ ihre Bekanntschaft gemacht.
Wir trafen uns zufällig/ wie verabredet an der Ecke.
Sie hat sich mit uns für morgen verabredet.
Wir konnten die Verabredung nicht einhalten.
Er verabschiedete sich von ihr.
Wenn man sich verabschiedet,/ Beim Verabschieden sagt man gewöhnlich auf Wiedersehen.
Wenn man sich trifft,/ Beim Treffen sagt man gewöhnlich guten Tag oder guten Morgen.
Wenn man zu Bett geht,/ Beim Zubettgehen sagt man gewöhnlich: „Gute Nacht! Schlafen Sie gut!/ Schlaf gut!"
Meine Mutter läßt schön grüßen (sends her love).
Er ging an mir vorbei, ohne mich zu grüßen.
Er grüßte uns im Vorbeigehen (as he passed by).
Ich soll Ihnen schöne Grüße von Vater bestellen (give you my father's kind regards).
„Viel Vergnügen! Amüsiert euch gut!" sagte er.

Conversing (i)   Im Gespräch (i)

76

purpose	der Zweck -e	be right	recht haben
suggestion	der Vorschlag ¨e	think (of)	denken (dachte,
error, mistake	der Irrtum ¨er		gedacht)
advice	der Rat -schläge		(an+A)
nonsense	der Unsinn	suggest	vor-schlagen
opinion,	⎰ die Meinung -en		(ä, u, a)
view	⎱ die Ansicht -en	suppose,	an-nehmen
truth	die Wahrheit -en	accept	(nimmt, a,
discussion,	die Diskussion		-genommen)
argument	-en	pardon	verzeihen (ie, ie)
pardon	die Verzeihung	advise, guess	raten (ä, ie, a)
		interrupt	unterbrechen
conversation	das Gespräch -e		(i, a, o)
argument	das Argument -e	attack	an-greifen (griff,
think, mean	meinen		-gegriffen)
talk	reden	certain(ly)	gewiß
maintain	behaupten	true	wahr
defend	verteidigen	general	allgemein
		certainly,	wohl
		well	

Wir begannen/ führten (had) ein langes Gespräch über dieses Thema.
Im allgemeinen (in general) würde ich es dir nicht raten (advise you to do it).
Er fragte mich um Rat. (He asked my advice.)
Er hört (listens to) nie/ immer/ selten auf meinen Rat.
Sie will keinen Rat annehmen (take).
Er bat mich, ihm zu helfen.
Er hat dich um Verzeihung gebeten, nicht wahr (didn't he)?
Ich kann es ihm nie verzeihen.
Ich habe eine große Bitte an Sie (to make to you).
Er behauptete, ich sei/ wäre im Irrtum/ er habe/ hätte recht.
Sie hatten ganz entgegengesetzte (diametrically opposed) Meinungen über die
 Sache/ darüber.
Die Vorschläge, die er gemacht hatte, führten zu einer langen Diskussion.
Ich nehme an, Sie wollen die Wahrheit hören.
Es hat gewiß keinen Zweck, das Gespräch weiter zu führen (there is no point
 in continuing . . .).
Dein Argument wird ihn kaum dazu führen, seine Meinung/ Ansicht zu
 ändern.
Das ist wohl die allgemeine Meinung darüber (about it).
Er war anderer Meinung (G)/ Ansicht (G).
Ich bin Ihrer Meinung (G). (I agree with you.)
Meiner Ansicht/ Meinung nach (in my opinion) hätte er das Argument besser
 verteidigen/ angreifen können (could have . . .).
Was meinen Sie dazu? (What do you think of that?)
Ich denke nicht daran, so etwas zu behaupten. (I don't dream of maintaining
 anything of the sort.)
Wir haben die Einladung zum Abendessen angenommen.
Sie haben lange miteinander geredet.
Rede nicht so viel, arbeite lieber!

74

Conversing (ii) Im Gespräch (ii)

7

doubt	der Zweifel -	not object	nichts dagegen
quarrel	der Streit		haben
	-igkeiten	converse	sich unterhalten
conversation	die Unterhaltung		(ä, ie, a)
	-en	quarrel	sich streiten (stritt,
meaning	die Bedeutung -en		gestritten)
		be in agree-	einverstanden
knowledge	das Wissen	ment	*sein
mean	bedeuten	probable	wahrscheinlich
demand	fordern	real(ly)	wirklich
regret	bedauern	marvellous	prima
add	hinzu-fügen	after all	immerhin
suspect, guess	vermuten	sure enough	freilich
doubt	zweifeln	on purpose	absichtlich
	(an+D)	by the way	nebenbei
wonder	sich fragen	of course	selbstverständ-
continue (tr.)	fort-setzen		lich
continue	fort-fahren	strictly	eigentlich
(intr.)	(ä, u, a)	speaking	
exclaim	aus-rufen (ie, u)	besides	übrigens
be silent	schweigen	it's a pity	schade
	(ie, ie)		
object	etwas dagegen		
	haben		

Wir unterhalten uns gern über solche Sachen.
Solche Diskussionen führen immer zu Streitigkeiten.
„Bedaure (sehr)", (*sorry*) sagte er. „Es ist unmöglich."
Es ist zu bedauern (*is regrettable*), daß er daran zweifelt/ daß er an dem
zweifelt, was du ihm sagst (*doubts what you tell him*).
Ohne Zweifel (*doubtless*)/ Selbstverständlich/ Eigentlich hat er recht.
„Ist das wirklich wahr?" fragte er/ wollte er wissen/ fragte er weiter.
„Eigentlich habe ich nichts dagegen", fügte er hinzu/ antwortete er.
Ich fragte mich, ob er es absichtlich gesagt/ getan habe/ hätte/ ob er etwas
dagegen habe/ hätte.
Er schwieg. Nach einer Weile fuhr er mit seiner Geschichte fort/ setzte er seine
Geschichte fort.
Schade, daß du nicht einverstanden bist/ daß sie sich immer streiten müssen.
Er hatte es ohne mein Wissen von ihm gefordert.
Er erklärte uns die Bedeutung des Satzes/, was der Satz bedeutete.
Ich hätte nie vermutet (*should never have suspected*), daß er solchen Unsinn
reden/ schreiben/ glauben/ machen würde.
„Prima!" rief er aus. „Machen wir das!"
Das ist ganz ohne Bedeutung (*quite unimportant*).
Übrigens sagte er, daß dies nichts für ihn bedeute.
Er hat nebenbei gesagt, daß er es sehr bedaure.

Character and qualities (i)
Charakter und Eigenschaften (i)

78

character	der Charakter -e	insist on	bestehen (-stand, -standen) auf (D)
nerve	der Nerv -en		
man, person	der Mensch -en/-en		
will	der Wille (*gen.* -ens)	strike, be	*auf-fallen
industry	der Fleiß	conspicuous	(ä, ie, a) (D)
quality	die Eigenschaft -en	striking	auffallend
nature	die Natur -en	different	verschieden
mood	{ die Stimmung -en	sad	traurig
	die Laune -n	gentle	sanft
honour	die Ehre -n	brave	mutig
		careful	sorgfältig
talent	das Talent -e	careless	nachlässig
weep	weinen	noble	edel
smile	lächeln	amiable, kind	liebenswürdig
laugh (at)	lachen (über +A)	(dis)honest	(un)ehrlich
hesitate	zögern	honourable	ehrenhaft
		(ir)resolute	(un)entschlossen
		fearful, timid	ängstlich
		it is true	zwar

Er ist ein Mensch mit gutem/ schlechtem/ starkem/ edlem Charakter (*a man/ person of* . . .).
Er hat Charakter/ ist ein Mann von Charakter/ ein Mann von Ehre.
Die Charaktere sind verschieden. (*People differ.*)
Sie wird leicht heftig (*flares up quickly*).
Sie weint/ lächelt/ lacht immer/ oft/ selten.
Er lachte laut/ leise/ über das ganze Gesicht/ aus vollem Hals (*shouted with laughter*).
Er lacht immer über alle Leute.
Zögern Sie nicht! Nur Mut!
Er ist ein (un)entschlossener/ (un)glücklicher/ sorgfältiger/ nachlässiger/ edler/ ehrlicher/ ehrenhafter/ liebenswürdiger Mensch.
Sie ist immer guter/ schlechter Stimmung (G)/ Laune (G).
Er hat einen festen/ starken Willen.
Er besteht auf seinem Willen.
Er hat/ ist eine glückliche Natur/ ist ängstlicher Natur (G)/ von Natur heftig.
Er hat keine/ immer große/ nur wenig Geduld mit ihr.
Er ist immer sehr (un)geduldig mit ihr.
Er fällt/ geht mir auf die Nerven. (*He gets on my nerves.*)
Er fällt angenehm/ unangenehm auf. (*He makes a good/ bad impression.*)
Es scheint niemandem aufzufallen.
Sie ist auffallend schön.
Er hat zwar Geschmack, aber nicht viel Talent.

Character and qualities (ii)
Charakter und Eigenschaften (ii)

9

envy	der Neid	lack	fehlen an (D)
zeal, ardour	der Eifer	act	handeln
ambition	der Ehrgeiz	treat	behandeln
habit	die Gewohnheit -en	remind	erinnern an (A)
cruelty	die Grausamkeit -en	remember	sich erinnern an (A)
		tell lies	lügen (o, o)
excitement	die Aufregung -en	make up	sich entschließen
lie	die Lüge -n	one's mind	(o, o)
dignity	die Würde -n		
curiosity	die Neugier(de)	ambitious	ehrgeizig
jealousy	die Eifersucht	jealous of	eifersüchtig auf (A)
right	das Recht -e	envious of	neidisch auf (A)
memory	das Gedächtnis -se	conscientious	gewissenhaft
interest in	das Interesse -n an (D)/für	cruel	grausam
		(un)practical	(un)praktisch
conscience	das Gewissen	absent-minded	{ geistesabwesend zerstreut
		inquisitive	neugierig

Er ist ganz ohne Interessen/ hat keine geistigen Interessen.
Er gerät leicht in heftige Aufregung.
Er besteht immer auf seinem Recht/ seinen Rechten.
Er handelt immer nach (*according to*) bestem Wissen und Gewissen/ nach Recht und Gewissen.
Er folgt immer der Stimme des/ seines Gewissens.
Ein gutes Gewissen ist ein sanftes Ruhekissen (*prov.*)
Er behandelt alle sehr gut/ sehr schlecht/ sanft/ von oben herab (*condescendingly*).
Er studiert mit großem Eifer/ mit wenig Eifer.
Er ist eifersüchtig/ neidisch auf seinen Bruder.
Ihm fehlt es an Mut/ Fleiß/ Eifer.
Er hat keinen Ehrgeiz/ keine Würde.
Er kennt keinen Neid/ keine Eifersucht.
Sie hat keine Gedanken im Kopf.
Er hat ein sehr schlechtes Gedächtnis, man muß ihn immer wieder an alles erinnern.
Er kann sich an nichts mehr erinnern.
Sie lügt nie, sie ist die Wahrheit selbst.
Er ist ehrgeizig/ neugierig/ gewissenhaft/ grausam.

Character and qualities (iii)
Charakter und Eigenschaften (iii)

80

value	der Wert -e	feel	empfinden (a, u)
sense	der Sinn -e		
anger	der Zorn	bad, angry	böse (auf+A)
hate, hatred	der Haß	(with)	
humour	der Humor	gay, happy	froh
		angry	zornig
desire, joy	die Lust ̈e	furious	wütend
joy in	die Freude -n an (D)	imaginative	phantasiereich
conviction	die Überzeugung -en	proud of	stolz auf (A)
hope	die Hoffnung -en	(un)friendly	(un)freundlich
virtue	die Tugend -en	(un)grateful	(un)dankbar
imagination	die Phantasie -n	(un)just	(un)gerecht
rage, fury	die Wut	(im)moral	(un)sittlich
		(un)mannerly	(un)anständig
feeling, sense	das Gefühl -e	restless	unruhig
vice	das Laster -	(un)reliable	(un)zuverlässig
thing(s)	das Zeug	(il)loyal,	(un)treu
judge	beurteilen	(un)faithful	
convince	überzeugen	ridiculous	lächerlich

Sie hat viel/ keinen/ guten Geschmack (*taste*).
Er hat keinen Humor/ keinen Sinn für Humor (*sense of humour*)/ für Musik
   (*appreciation of music*)/ für Literatur/ für (die) Natur.
Tiere haben oft schärfere Sinne als der Mensch.
Er hatte/ empfand in diesem Augenblick ein Gefühl der Furcht/ der Freude/
   des Hasses/ des Zorns.
Er fühlte neuen Mut/ neue Hoffnung/ große Freude/ tiefe Liebe.
Er gerät leicht in Wut.
Sie war blaß/ rot vor Zorn/ Wut.
Sie hat eine Wut auf ihn.
Sie weinte/ lachte vor Freude.
Sie empfand starken Haß gegen ihn (*for him*).
Der Arzt machte ihr neue Hoffnung auf gute Besserung.
Er beurteilt Menschen nach ihrem sittlichen Wert.
Er ist mir sehr dankbar/ mit mir zufrieden/ immer gegen alle gerecht/ zu allem
   fähig (*capable of anything*)/ sehr stolz auf mich/ immer freundlich zu mir.
Er ist ein böser (*bad*)/ ruhiger/ unruhiger/ zuverlässiger/ lächerlicher/
   anständiger/ froher Mensch.
Sei mir nicht böse! (*Don't be angry with me.*)
Ihm ist alles gleich. (*It is all the same to him.*)
Er hat große Freude am Leben/ keine Liebe zur Wahrheit.
Das Rauchen kann zum Laster werden.
Er neigt dazu, dummes Zeug zu reden.
Sein Benehmen hat mich völlig davon überzeugt, daß er in allem gewissenhaft
   ist.

Character and qualities (iv)
Charakter und Eigenschaften (iv)

1

joke	der Spaß ⸚e	stand, bear concern	aus-halten (ä, ie, a) betreffen (i, -traf, o)
lack of	der Mangel ⸚ an(D)		
seriousness	der Ernst		
fear, anxiety	die Angst ⸚e	possess	besitzen (-saß, -sessen)
similarity	die Ähnlichkeit -en		
situation	die Lage -n	similar	ähnlich
respect, relation	die Beziehung -en	serious, grave	ernst
		odd, funny	komisch
opposite	das Gegenteil -e	peculiar	sonderbar
word	das Wort -e *or* ⸚er	strange	seltsam
promise	das Versprechen -	sensible	vernünftig
sympathy	das Mitleid	wise	weise
trust	das Vertrauen	crazy	verrückt
mistrust	das Mißtrauen	natural(ly)	natürlich
observe	beobachten	normal	normal
disturb	stören	most (*adv.*)	höchst
be surprised at	sich wundern über (A)	exceedingly	ungeheuer
get used to	sich gewöhnen an (A)		
change (*intr.*)	sich verändern		

Er ist völlig unfähig, den Ernst der Lage zu verstehen.
Ich kann ihn nicht ernst nehmen.
Er ist zu ernst, er versteht keinen Spaß.
In dieser Beziehung ist er seinem Vater sehr ähnlich/ hat er eine große
    Ähnlichkeit mit seinem Vater.
Ich finde ihn sehr komisch/ höchst sonderbar/ ganz verrückt/ äußerst vernünftig/
    sehr weise/ ganz normal.
Er ist ein ruhiger/ ernster/ natürlicher Mensch.
Mit ihm kann man schon ein ruhiges Wort sprechen.
Wenn man einmal sein Wort gegeben hat, muß man es halten.
Da er sein Wort/ Versprechen nicht gehalten hat, haben wir natürlich gar kein
    Vertrauen mehr zu ihm.
Es ist ihm nicht gegeben, schöne Worte zu machen (*make fine speeches*).
Er besitzt viele hervorragende Eigenschaften/ mein volles Vertrauen.
Er liebt es, immer das Gegenteil zu behaupten.
Im Gegenteil (*on the contrary*), ihm ist alles gleich (*it is all the same to him*).
Was mich betrifft, so kann ich es nicht mehr aushalten.
Er hat sich im Charakter ganz verändert.
Sie bekommt sehr leicht Angst/ gerät leicht in Angst.
Er beobachtet ungeheuer scharf.
Mit der Zeit gewöhnt sich der Mensch an alles.
Er wundert sich über gar nichts mehr.
Nichts scheint ihn zu stören, er bleibt immer ruhig.
Er empfindet tiefes Mitleid für ihre Lage/ mit ihr.

Trade and industry Handel und Industrie

82

profession	der Beruf -e	firm	die Firm-a -en
works	der Betrieb -e	typewriter	die Schreibmaschine
wage(s)	der Lohn ¨e		-n
manager	der Leiter -	shorthand-	die Stenotypistin
worker	der Arbeiter -	typist	-nen
miner	der Bergarbeiter	mine	das Bergwerk -e
businessman	der Geschäfts-mann	salary	das Gehalt ¨er
	-leute	office	das Büro -s
boss, head	der Chef -s		
strike	der Streik -s	manufacture	her-stellen
employee	der Angestellte	modernise	modernisieren
	(adj.)	strike	streiken
commerce,	der Handel	refuse	verweigern (AD)
trade		hinder,	hindern
noise	der Lärm	prevent	
job, place	die Stelle -n	boring	langweilig
factory	die Fabrik -en	relative(ly)	verhältnis-
industry	die Industrie -n		mäßig
career	{ die Karriere -n	nowadays	heutzutage
	{ die Laufbahn -en	enough	genug
		mostly	meist(ens)

Er ist Geschäftsmann von Beruf.
Der neue Leiter hat die Fabrik modernisiert.
Er hat die Stelle als Leiter der Fabrik/ des Betriebs bekommen.
Briefe werden jetzt mit der Schreibmaschine geschrieben.
Man kann heutzutage fast alles mit Maschinen herstellen.
Bergarbeiter arbeiten in einem Bergwerk.
Arbeiter/ Bergarbeiter bekommen kein Gehalt, sondern Lohn.
Heutzutage kommen/ fahren Arbeiter mit dem Wagen/ Motorrad zur Arbeit/
in die Fabrik.
Wenn die Arbeiter nicht genug Lohn bekommen, streiken sie.
Die Arbeit in einer Fabrik ist oft langweilig/ selten interessant/ ist gar nicht
interessant.
England treibt Handel (*does trade*) mit den meisten Ländern der Welt.
Es hat keinen Zweck, schlechte Waren anzubieten (*There is no point in
offering . . .*).
Mir wurde ein höheres Gehalt angeboten/ verweigert.
Es ist heute verhältnismäßig leicht, viel Geld zu verdienen.
Er glaubte, daß eine Ehe ihn in seiner Karriere hindern könne.
Er wird sicher eine gute Karriere machen.

Universities Universitäten und Hochschulen

3

engineer	der Ingenieur -e	school leaving	das Abitur -e
step	der Schritt -e	examination	
lecture	der Vortrag ¨e	means	das Mittel -
plan	der Plan ¨e	study	das Studi-um -en
grant	der Zuschuß ¨(ss)e	scholarship	das Stipendi-um
professor	der Professor -en		-en
lecturer	der Dozent -en/-en	increase	vermehren
course	der Kursus (Kurse)	research	forschen
learning,	die Wissenschaft	make (plans)	entwerfen
scholarship,	-en		(i, a, o)
science		take part in	teil-nehmen
teaching,	die Lehre -n		(nimmt, a,
doctrine			-genommen)
lecture	die Vorlesung -en		an (D)
reform	die Reform -en	undertake	unternehmen
university	die Hochschule -n		
research	die Forschung -en	scholarly,	wissenschaft-
diploma	das Diplom -e	scientific	lich
example	das Beispiel -e	learned	gelehrt
thousand	das Tausend -e	(in)active	(un)tätig
		partly	teilweise
		so that	damit

Um an einer deutschen Universität zu studieren, muß man das Abitur
gemacht haben.

Wenn man Diplomingenieur werden will, geht man auf eine Technische
Hochschule.

Die Hochschulen haben zwei Aufgaben—zu lehren und wissenschaftlich zu
forschen.

Die Hochschulen dienen der Lehre und der wissenschaftlichen Forschung.

Wie viele Pläne für die Reform der Universitäten hat man schon entworfen!

Mehr als ein Viertel/ die Hälfte aller Studenten erhält Zuschüsse aus öffentlichen
Mitteln.

Es gibt Tausende von Studenten, die sich durch Arbeit in den Ferien das
Studium ganz oder teilweise selbst verdienen.

Nur eine kleine Zahl der Studenten bekommen Stipendien.

Die Zahl der Studenten nimmt ständig zu/ ist immer noch zu niedrig.

Jetzt zum Beispiel (*for example*) werden Schritte unternommen, um den
Wünschen der Studenten zu begegnen.

Dieser Professor lehrt an der Universität Göttingen/ ist immer noch an der
Universität tätig.

Der Professor, der Vorlesungen über Literatur hält (*gives*), ist sehr gelehrt.

Man hat längst nicht alles getan (*is far from having done everything*), damit die
Universitäten mehr leisten.

War and peace (i)   Krieg und Frieden (i)

84

enemy	der Feind -e	flight	die Flucht -en
war	der Krieg -e	future	die Zukunft
atomic war	der Atomkrieg	result	{ das Resultat -e
attack	der Angriff -e		das Ergebnis -se
fugitive	der Flüchtling -e		
officer	der Offizier -e	surprise	überraschen
proof	der Beweis -e	wound	verwunden
struggle, fight	der Kampf -e	end	beenden
terror, horror	der Schrecken -	destroy	zerstören
soldier	der Soldat -en/-en	prove	beweisen
resistance	der Widerstand		(ie, ie)
peace	der Frieden	succeed	*gelingen
defence	die Verteidigung		(a, u) (D)
	-en	flee	(*)fliehen (o, o)
bomb	die Bombe -n	break out	*aus-brechen
atom bomb	die Atombombe		(i, a, o)
safety	die Sicherheit -en	resist	widerstehen
negotiation	die Verhandlung		(-stand,
	-en		-standen)
surprise	die Überrasch-		(D)
	ung -en	hostile	feindlich
consequence	die Folge -n		
battle	die Schlacht -en		

Wir haben den Krieg begonnen/ gewonnen/ verloren/ vermieden/ erklärt
    (*declared*)/ vorbereitet (*prepared for*)/ beendet.
Es gelang ihnen (*they succeeded*) nach langen Verhandlungen, den Krieg zu
    beenden/ Frieden zu schließen (*conclude*)/ ihr Ziel zu erreichen.
Ein Atomkrieg läßt sich kaum mehr vermeiden (*can hardly be avoided any longer*).
Wir haben ihnen/ diesem Land den Krieg erklärt (*declared war on*).
Die meisten Menschen/ Leute möchten in Ruhe und Frieden miteinander leben.
Ich wünsche, in Frieden gelassen zu werden.
Man weiß nicht einmal, warum der Krieg eigentlich ausgebrochen ist.
Der Krieg hat zur Folge (*as a consequence*), daß es überall Flüchtlinge gibt.
Ob es überhaupt eine Verteidigung gegen Atombomben gibt (*I wonder whether
    there is any . . .*)?
Der plötzliche Angriff hat den Feind völlig überrascht.
Der Feind leistete (*offered*) mutigen Widerstand gegen den Angriff.
Sie haben mit großem Mut dem feindlichen Angriff widerstanden.
Alle flohen vor dem Feind.
Es gelang dem jungen Offizier, seine Leute/ Soldaten in Sicherheit zu bringen.
Viele sind in dieser Schlacht/ bei diesem Angriff/ im Kriege gefallen, noch
    mehr schwer verwundet worden.
Der Kampf um (*struggle for*) Stalingrad hat monatelang gedauert.
Wir haben genug von den Schrecken des Krieges gelesen/ im Fernsehen
    gesehen.
Wie wird es in der Zukunft sein/ wird die Zukunft aussehen?
Das Ergebnis dieser Verhandlungen war der Frieden.
Das ist ein klarer Beweis dafür, daß solche Verhandlungen sehr nützlich sein
    können.
Das beweist noch gar nichts.

War and peace (ii) Krieg und Frieden (ii)

victory	der Sieg -e
order, command	der Befehl -e
captain (navy)	der Kapitän -e
shot	der Schuß ∵(ss)e
captain (army)	der Haupt-mann -leute
sailor	der Matrose -n/-n
prisoner	der Gefangene (adj.)
power	die Macht ∵e
great power	die Großmacht
rocket	die Rakete -n
weapon, arm	die Waffe -n
defeat	die Niederlage -n
fleet	die Flotte -n
duty	die Pflicht -en
opportunity	die Gelegenheit -en
army	die Armee -n
connection, contact	die Fühlung
army	das Heer -e
gun, rifle	das Gewehr -e
machine gun	das Maschinengewehr
wage (war)	führen
pursue	verfolgen
fulfil	erfüllen
take up, seize	greifen (griff, gegriffen) zu, nach
seize	ergreifen
order	befehlen (ie, a, o) (AD)
launch, fire	ab-schießen (o, o)
load	laden (ä, u, a)
gain, achieve	erringen (a, u)
suffer	erleiden (-litt, -litten)
capture	gefangen-nehmen (nimmt, a, -genommen)

Vorsicht! Das Gewehr ist geladen.
Er bekam einen Schuß ins Herz und starb sofort.
Alle griffen sofort zu den Waffen/ standen unter Waffen.
Sie mußten einen langen Krieg zu Lande, zur See und in der Luft führen.
Wann wurden die Raketen abgeschossen?
Das feindliche Heer wurde völlig geschlagen, viele wurden gefangengenommen.
Er benutzte/ ergriff die Gelegenheit/ hatte es unternommen, mit dem Feind
  Fühlung zu nehmen (*to make contact with*).
Durch den plötzlichen Angriff zwangen wir den Feind, die Flucht zu ergreifen
  (*to take to flight*).
Er verpaßte die Gelegenheit, die Fliehenden zu verfolgen.
Er erfüllte seine Pflicht und gehorchte dem Befehl.
Hände hoch, oder ich schieße!
Die Truppen auf der anderen Seite erlitten eine schwere Niederlage.
Nach schwerem Kampf errangen wir den Sieg über den Feind.
Da er das Heer für sich/ auf seiner Seite hatte, konnte er die Macht ergreifen.
Ein Friede ist besser als zehn Kriege (*prov.*).

Government and administration (i)
Regierung und Verwaltung (i)

86

federation	der Bund ⸚e	cabinet	das Kabinett -e
chancellor	der Kanzler -	office	das Amt ⸚er
politician	der Politiker -	ministry	das Ministeri-um
minister	der Minister -		-en
state	der Staat -en	rule, reign	regieren
president	der Präsident -en/-en	form, educate	bilden
deputy	der Abgeordnete (adj.)		
Lower House	der Bundestag	appoint	ernennen
Upper House	der Bundesrat		(-nannte,
government, reign	die Regierung -en	represent	-nannt) vertreten
republic	die Republik -en		(-tritt, a, e)
affair	die Angelegenheit -en	dismiss	entlassen
democracy	die Demokratie -n		(ä, ie, a)
party	die Partei -en	political	politisch
administration	die Verwaltung -en	(ir)responsible	(un)verant- wortlich
responsibility	die Verantwortung -en	local	örtlich
municipality	die Gemeinde -n	internal	inner-
group	die Gruppe -n	federal	Bundes-
politics, policy	die Politik		
foreign policy	die Außenpolitik		

In einer Demokratie muß es zwei oder mehr politische Parteien geben.
Die Bundesrepublik Deutschland ist ein Bundesstaat, der aus elf Ländern
besteht.
Das Bundeskabinett besteht aus dem Bundeskanzler und den auf seinen
Vorschlag (*at his suggestion*) vom Bundespräsidenten ernannten
Bundesministern.
Die Bundesregierung besteht aus dem Amt des Kanzlers und aus den
verschiedenen (*various*) Ministerien.
Der Bundespräsident vertritt den Staat, ernennt und entläßt die Regierungs-
mitglieder.
Der Kanzler findet es schwer, sein Kabinett/ die Regierung zu bilden.
Eine kleine Gruppe von Politikern versucht, eine neue Partei zu bilden.
Die meisten Leute wollen nichts von Politik wissen.
Der Bund ist für die Außenpolitik verantwortlich, die Länder sind für die
innere Verwaltung und die Gemeinden für ihre örtlichen Angelegenheiten
verantwortlich.

Government and administration (ii)
Regierung und Verwaltung (ii)

7

king	der König -e	class	die Schicht -en
seat	der Sitz -e	legislation	die Gesetzgebung
town council- lor	der Stadtrat ⁻e	queen	die Königin -nen
Prime Minister	der Premier- minister -	law	das Gesetz -e
		parliament	das Parlament -e
citizen	der (Staats)Bür- ger -	system	das System -e
		people	das Volk ⁻er
mayor	der Bürgermeister -	House of Commons	das Unterhaus
welfare state	der Wohlfahrts- staat -en	House of Lords	das Oberhaus
candidate	der Kandidat -en/-en	execute	durch-führen
statesman	der Staats-mann -leute	rule over	herrschen über (A)
(public) authority	die Behörde -n	vote for/ against	stimmen für/ gegen
monarchy	die Monarchie -n	enact	erlassen (ä, ie, a)
population	die Bevölkerung -en	democratic	demokratisch
society	die Gesellschaft -en	economic	wirtschaftlich
majority	die Mehrheit -en	social	sozial
revolution	die Revolution -en	difficult	schwierig
election, choice	die Wahl -en		

Königin Victoria/ König Eduard VII herrschte über viele Länder und Völker.
Unter der Regierung (*in the reign*) dieses Königs begann das Parlament, eine viel größere Rolle in der Gesetzgebung zu spielen.
Im Bundestag sitzen Abgeordnete, im Unterhaus Mitglieder des Parlaments.
Der Premierminister hat seinen Sitz im Unterhaus.
Großbritannien ist seit langer Zeit eine Monarchie.
Die Mitglieder des Parlaments vertreten das Volk; die Regierung vertritt die Mehrheit des Volkes.
Man stimmt für/ gegen einen Kandidaten.
Wann finden die nächsten Wahlen statt?
Vor den Wahlen werden viele Reden gehalten (*made*).
Die Regierung hat viele schwierige wirtschaftliche und soziale Probleme zu lösen.
Die Gesetze werden vom Parlament erlassen und von den Behörden durchgeführt.
Alle Schichten der Gesellschaft/ der Bevölkerung waren mit den neuen Gesetzen einverstanden.
Der König regiert dieses Land/ dieses Volk/ diesen Staat schon seit vielen Jahren.
Dieses Volk läßt sich leicht/ nur schwer regieren.
Der Bürgermeister und die Stadträte sind für die Stadtverwaltung verantwortlich.

Crime and the law   Verbrechen und Rechtswesen

88

thief	der Dieb -e	accuse	an-klagen
theft	der Diebstahl ⸚e	arrest	verhaften
lawyer	{ der Rechtsanwalt ⸚e	cross-examine	verhören
	{ der Advokat -en/-en	condemn	verurteilen
judge	der Richter -	consider as	betrachten als
burglar	der Einbrecher -	bring in	fällen
criminal	der Verbrecher -	(verdict),	
murderer	der Mörder -	pass	
plaintiff	der Ankläger -	(judgment)	
defendant	der Angeklagte (adj.)	bring	erheben (o, o)
juryman	der Geschworene (adj.)	(charge)	
murder	der Mord	steal	stehlen (ie, a, o)
suspicion	der Verdacht	decide	entscheiden (ie, ie)
charge	die Anklage -n	burgle	(*)ein-brechen
fine	die (Geld)Strafe -n		(i, a, o)
guilt, debt	die Schuld -en	commit	begehen (-ging,
police	die Polizei		-gangen)
law court	das Gericht -e	confess	(ein-)gestehen
judgment	das Urteil -e		(-stand,
trial	das Verhör -e		-standen)
crime	das Verbrechen -	guilty, owing	schuldig
(im)prison	das Gefängnis -se	innocent	unschuldig
(ment)		to blame for	schuld an (D)

Haltet den Dieb! (*Stop thief!*)
Er mußte/ Die Sache mußte vor Gericht kommen (*appear in/ be brought before*).
Man klagte ihn an, einen Diebstahl/ den Mord begangen zu haben.
Er wurde des/ wegen Diebstahls/ wegen Mordes angeklagt.
Der Angeklagte behauptete, er sei/ wäre unschuldig.
Der Angeklagte hat seine Schuld gestanden/ wurde für schuldig/ unschuldig
    erklärt.
Er ist mir zehn Mark schuldig. (*He owes me 10 marks.*)
Man betrachtete ihn als den Mörder/ hielt ihn für den Mörder.
Die Polizei hatte ihn lange in/ im Verdacht gehabt.
Der Angeklagte stand sehr lange in/ im Verdacht.
Er ließ sich ohne Widerstand verhaften.
Bei meinen Freunden/ ihnen ist vorige Woche eingebrochen worden.
Die Einbrecher haben vieles/ viel Geld/ einige wertvolle Bilder gestohlen.
Die Verbrecher wurden endlich entdeckt.
Der Rechtsanwalt erklärte sich bereit, den Angeklagten zu verteidigen.
Der Richter entschied, daß der Angeklagte (des Diebstahls) nicht schuldig sei/
    daß er an allem schuld sei.
Der Richter mußte über diese Sache/ in dieser Sache entscheiden/ mußte das
    Urteil fällen.
Der Angeklagte mußte wegen Schnellfahrens Strafe zahlen/ wurde zu einer
    schweren (*heavy*) Geldstrafe/ zu Gefängnis/ zu zwei Monaten Gefängnis/ zu
    fünf Jahren Zuchthaus (*penal servitude*) verurteilt.
Das ist bei Todesstrafe/ Gefängnisstrafe/ bei hoher Geldstrafe (*under penalty
    of . . .*) verboten.